DEDANS

Stéphane Jolibert a gran[...] [...]
beaux-arts de Saint-Étienne avant de [...]
années du côté du Pacifique Sud où il exerça le métier de
directeur artistique. Il s'installe ensuite à Paris où il enseigne la
communication visuelle et la sémiologie de l'image. Aujourd'hui,
Stéphane Jolibert vit et travaille non loin de la frontière belge.

STÉPHANE JOLIBERT

Dedans
ce sont des loups

ÉDITIONS DU MASQUE

© Éditions du Masque,
département des Éditions Jean-Claude Lattès, 2016.
ISBN : 978-2-2530-8609-3 – 1re publication LGF

« Ses yeux coulaient avec cette expression humaine qu'ont les chiens quand, après avoir vécu avec les gens trop longtemps, ils finissent par leur ressembler dans ce qu'ils ont de pire. »

Richard Brautigan, *La Vengeance de la pelouse*.

Pour Charlotte

Prologue

La belle saison était là. La neige s'était absentée en partie du paysage depuis quelques semaines déjà. Tom s'était levé aux aurores. Café fumant en main, il avait ouvert la porte d'entrée et constaté que le ciel était plein de bleu. Le temps était sec, idéal pour faire ce qu'il avait à faire : le tas de bois diminuait et les beaux jours qui à peine commençaient ne dureraient pas. Il savait ça, il était né ici. Tout comme son père, son grand-père, son arrière-grand-père et ainsi de suite jusqu'à ce que l'arbre généalogique perde ses racines dans cette terre ingrate.

Posément, il avait avalé son café, à petites gorgées répétées, pour ensuite aller nourrir les bêtes à l'étable qui n'en sortaient qu'une fois l'an pour paître durant les mois les plus cléments. À cette occasion, elles fouillaient inlassablement le sol de leur museau en quête d'herbe nouvellement poussée sous un discret soleil. Elles sortiraient bientôt.

Après ça, il avait aiguisé les coupants de chaîne de la tronçonneuse, en avait fait le plein, fait le plein du pick-up aussi, et aligné sur le plateau de celui-ci des jerricans blindés de gasoil et d'essence qu'il avait sanglés.

À cette époque, nul ne faisait précéder son patronyme du vocable « vieux », tous l'appelaient Tom tout simplement. Pas qu'il n'avait pas encore atteint un âge honorable, non, mais il était encore valide. Le « vieux » était venu s'accoler à son prénom après l'accident, ajoutant à son handicap le poids des années.

Il avait vérifié que la roue de secours était en état, que la cibi encastrée dans le tableau de bord fonctionnait, quoi d'autre encore ?

Rien d'autre, il avait ce qu'il fallait : de quoi se rassasier pendant les pauses qu'il s'accorderait entre deux coupes d'arbres, de quoi se désaltérer, rien d'autre.

Il avait sifflé Molosse et Bethsat, un couple de huskys qui immédiatement avaient grimpé sur le plateau du pick-up pour s'y allonger, serrés l'un contre l'autre, comme toujours. Quelquefois, Tom enviait ces deux-là d'être si proches.

Il avait secoué la tête, comme pour en éjecter le trop-plein de souvenirs, puis il avait tourné la clé pour lancer le moteur du pick-up.

Elle s'en était allée, celle qui avait partagé sa vie longtemps, le laissant là, avec pour seule compagnie le deuil mais pas d'enfant. Elle lui manquait.

Il avait mis le feu à une cigarette et, tandis que ses poumons encaissaient la première bouffée de la

12

journée, il avait prêté attention au ronronnement de la mécanique. Ça l'émerveillait toujours, cette sympathie qu'avait la machine de tourner rond après des mois de silence, après des années de service.

Du bout des doigts, il avait poussé la cassette dans le lecteur, toujours la même. Il n'en possédait qu'une. Tom partait du principe que dès lors qu'on avait le choix s'installaient le doute et, avec lui, les ennuis.

Sur la route qui le menait chez Sean, il n'avait pas croisé âme qui vive. Il ne s'en était pas étonné, cela faisait quelques années déjà que l'émigration vers la ville, située quelque trois cents kilomètres plus au sud, avait entamé son processus de désertification. Qui pouvait espérer avoir un avenir en restant ici ? Une autre vie que trimer comme une bête de somme durant les deux mois de clémence que vous accordait la météo, et, le reste de l'année, s'enfermer et regarder le ciel blanchir, s'épaissir jusqu'à devenir opaque et n'être plus que monotonie.

Au septième kilomètre, la cassette s'éjectait, il la retournait pour la ré-encastrer.

Au septième kilomètre, il rallumait une cigarette, toussait, et, du revers de la manche, s'essuyait les lèvres.

Quelques minutes plus tard, il avait arrêté le pick-up devant la ferme de Sean et ne s'était pas étonné de constater que Marthe, assise sur les marches du perron, arborait un œil au beurre noir. Elle en portait toujours un, rarement du même côté, mais en permanence, ça et les contusions allant avec.

13

Il avait soupiré, s'était répété qu'il faudrait s'occuper de Sean, lui faire sentir ce que ça faisait de se faire dérouiller par plus fort que soi et de vivre l'humiliation et l'indifférence qui s'ensuivaient. Sauf que voilà, il ne ferait rien de tout ça. Pas davantage lui qu'un autre. Pas qu'il s'en foutait, mais s'immiscer dans la vie d'autrui, quelle que soit cette vie, ne se faisait pas. Encore moins ici qu'ailleurs, alors...

Alors à moins de le flinguer...

Il s'était penché et avait baissé la vitre.

— Je ne te demande pas si ça va, Marthe.

— Moi ça va à peu près. Ça va mieux que la gosse.

Mécaniquement, sa main avait caressé la crosse du fusil reposant entre les sièges. Son doigt avait cherché la gâchette lorsque la porte s'était ouverte et qu'était parue sur le seuil une enfant couverte d'ecchymoses. Elle était nue, serrait contre sa poitrine une robe à fleurs. Aucune larme ne coulait sur ses joues. Des larmes, sans doute qu'elle n'en avait plus. Ne plus pouvoir pleurer à six ans c'était avoir déjà trop dépensé d'espoir.

— Fais pas ça, Tom.

— Fais pas quoi ?

— Va-t'en !

— Et pour le bois ?

— Il ne t'aiderait pas, il cuve. Va-t'en.

— Et tu feras comment sans bois ?

— Je me débrouillerai. Va-t'en, s'il te plaît.

Sur ce, elle avait pris sa fille dans ses bras, avait tourné les talons pour rentrer dans sa prison et en avait claqué la porte.

14

Lui avait haussé les épaules, après tout, c'était pas son affaire.

N'empêche…

N'empêche qu'un coup de main pour le bois aurait été le bienvenu.

*

Quelques paquets de neige disséminés ici et là subsistaient à l'abri du sous-bois, persistaient de blancheur et de gel, tels des icebergs perdus dans un océan de mousse et de feuilles.

Il avait coupé le moteur du pick-up dans une petite clairière boueuse, écrasé sa cigarette dans le cendrier qui débordait de mégots, puis il avait jaugé au travers du pare-brise le travail qui l'attendait. Seul, à raison d'une dizaine d'arbres par séance de coupe, il en avait pour deux grosses journées, peut-être trois. La perspective de dormir dans la cabine, enroulé dans une couverture, ne l'enchantait guère, mais il n'avait d'autre choix, le dressage de la tente nécessitant deux individus. Aussi, résigné, il avait ouvert la porte et était descendu pour faire le tour du véhicule et préparer le matériel de tronçonnage, tandis que les chiens partaient au cul d'un quelconque gibier.

Les gestes de Tom étaient lents, précis. Tout d'abord, il jugeait de l'endroit où devait tomber l'arbre, au plus près du pick-up sans le heurter. Ensuite, il procédait à l'entaille à la base du tronc, dégageait d'un coup de botte la section découpée et repassait de l'autre côté pour faire entrer la chaîne de la tronçonneuse dans le bois selon l'angle adéquat. De haut en bas, toujours le même angle. Au premier craquement, il relâchait sa pression sur la gâchette et reculait de quelques mètres afin d'observer en sécurité la chute de l'arbre. Cela fait, il passait à l'écimage, puis à l'ébranchage, pour finalement débiter en tronçons réguliers l'écot et empiler son travail sur le plateau du pick-up : autant qu'il pouvait en supporter. Quant à l'excédent, il attendrait que Tom repasse par là. Dans une semaine ou deux.

Il avait cessé le travail lorsque le ciel s'était empourpré de mauve, pour réunir au centre de la clairière le bois mort qu'il avait ramassé. Après avoir versé dessus une bonne rasade de gasoil, il y avait mis le feu et avait décidé qu'il était temps de manger un morceau, de boire un verre ou deux.

La nuit était tombée avec lenteur, le sous-bois s'était animé de bruissements, de hululements et d'autres cris encore. Assis sur la caisse à outils placée près de la flambée, avalant son repas, il s'était laissé bercer par l'ambiance forestière, le crépitement des flammes, la danse légère des flammèches. D'aussi loin qu'il s'en souvienne, cette atmosphère l'avait toujours séduit, l'avait toujours conduit à une sorte de sérénité.

Il ne regrettait plus l'absence de Sean, même si cela triplait le boulot, ce salaud aurait foutu la magie du moment en l'air, aussi sûrement que deux et deux font quatre. Sans parler qu'après ce qu'il avait vu aujourd'hui, il aurait bien été capable de lui régler son compte une fois pour toutes, pendant son sommeil, ou à n'importe quel autre moment de la journée, un accident de tronçonneuse était si vite arrivé. Il aurait abandonné son corps aux bestioles, pour peu qu'elles aient le goût de la chair alcoolisée.

Cette pensée l'avait fait sourire.

Il souriait encore lorsqu'il s'était enroulé dans sa couverture, au chaud dans l'habitacle du pick-up, et avait éteint la lampe à pétrole.

Il ignorait que le lendemain il ne sourirait plus.

Le lendemain…

Il avait bien jugé de la chute de l'arbre, sauf que celui-ci, en s'écroulant, avait rompu la branche basse d'un autre qui, sous l'impact, avait sifflé et tournoyé à une vitesse vertigineuse avant de le faucher au niveau des genoux. La douleur lui avait fait perdre connaissance et, lorsqu'il était revenu au monde, c'était pour constater son incapacité à atteindre le pick-up et sa cibi, constater aussi que les fractures étaient ouvertes et qu'elles pissaient le sang.

Les chiens gémissaient à quelques mètres de là, couchés l'un contre l'autre, museau niché entre leurs pattes.

Il avait gueulé sa douleur lorsque, à l'aide de bandes de tissu découpées dans sa veste, il avait posé des garrots au-dessus de ses genoux. Il avait pleuré, puis, serrant les dents sur sa souffrance, sur la nuit tombante, il s'était de nouveau évanoui.

S'il n'y avait eu les chiens pour tenir à distance les prédateurs, s'il n'y avait eu Sean débarquant de son ivresse et réalisant que sans bois de chauffage nul ne passait l'hiver, Tom serait resté là-bas pour une éternité, voire deux.

De gel et de froid

Dix-sept jours qu'il neigeait.

Les corbeaux, posés épars sur les branches dénudées, courbaient l'échine. De temps à autre, l'un d'eux ouvrait grand ses ailes, s'ébrouait pour se décharger du fardeau blanc, puis, sagement, reprenait sa position initiale.

Sans discontinuer, les flocons s'abattaient sur la plaine, lissant toute aspérité, estompant chaque accident du paysage, effaçant en quelques secondes les pas des rares courageux osant s'aventurer dans ce *no man's land* immaculé, poussés par le besoin, la nécessité du ravitaillement.

Adossé au poteau d'une clôture, il observa le ballet virevoltant des flocons, le temps que ses doigts engourdis parviennent enfin à rouler une cigarette qu'il se colla au bec avant de l'allumer.

Des bribes de tabac incandescentes se mêlèrent à la danse.

Cessèrent d'être aussitôt.

Il tenta de se remémorer l'effet que cela faisait d'avoir chaud. En vain.

Dans le sac posé à ses pieds se trouvait de quoi tenir quelques jours : boîtes de conserve, farine et levure pour le pain, tabac, alcool. Nats n'avait besoin de rien d'autre.

En réalité, Nats se nommait Natsume. Un prénom qui dès l'enfance l'avait gêné. Il n'était pas japonais. Son père était féru de littérature nipponne, plus particulièrement de celle de Sôseki. Quant à sa mère...

Nats préférait ne pas penser à sa mère. Elle s'était enfuie, ou, comme disait si sobrement son père, « elle avait quitté le domicile conjugal » alors qu'il allait fêter ses dix ans. Elle avait fait ça et, pour ce qu'il en savait, elle ne s'était pas retournée.

Quelques volutes bleues s'échappèrent de ses lèvres pour se figer un peu plus loin et s'éparpiller en autant de microparticules de givre et de glace, bringuebalées par le vent.

Il écouta le silence un moment, puis il écrasa sa cigarette contre le poteau, rangea son mégot dans sa poche et fouilla une autre poche pour y trouver une flasque. Il avala trois rasades d'une gnôle distillée par le vieux Tom, un tord-boyaux de première catégorie, pile le genre de boissons qui vous réchauffe illico en balayant au passage quelques neurones inutiles.

Il était temps d'y aller.

Ce qu'il fit, sac sur l'épaule. Mains de nouveau calées dans les poches. Chien collé aux talons.

Au loin, au travers de la danse neigeuse, émergeait le toit d'une ferme, celle du vieux Tom précisément. Prochaine étape. Ensuite, il lui faudrait encore enfoncer ses pieds dans la poudreuse deux bonnes heures avant que le feu ne crépite dans la cheminée, avant qu'il ne puisse se remettre au travail, enfin.

Sa pensée esquissa quelques images à propos de tout, de rien. Il les repoussa. Pour l'instant : se concentrer sur son pas et faire en sorte d'arriver avant le coucher du soleil. Se faire surprendre par la nuit dans ce coin-ci du monde, c'était dire adieu audit monde, ni plus ni moins, et il était trop tôt pour ça. Pas qu'il tînt tant à la vie, pas qu'elle lui offrît son suffisant de bonheur, d'enchantements et quantité de choses qu'il nommait ordinairement « des leurres », pour ne pas dire « des conneries » – pas ça, non. De la vie, Nats s'en foutait pas mal, mais Nats avait un travail à finir, un travail en forme de règlement de comptes.

Un travail de chien.

Et à propos de chien, il prit le sien dans ses bras, parce que voilà, les bouledogues et la neige, ça fait deux.

Tous l'avaient prévenu, tous lui avaient dit que, question clebs, c'était pas le genre de race adaptée au climat, et tous avaient ri.

Il n'avait pas écouté. Pas plus les conseils que les rires.

Nats n'écoutait jamais. N'en faisait toujours qu'à sa tête.

Il allongea sa foulée.

Et l'horizon, comme si la chose était possible, se blanchit davantage.

*

Les raisons pour lesquelles débarquaient dans ce coin paumé des étrangers, chacun les connaissait. La frontière passait non loin de la ville située plus au sud, n'était pas difficile à franchir pour qui savait prendre l'autocar ou marcher, et aucun accord d'extradition n'existait entre les deux pays partageant cette frontière-là. Si le climat était rude, pas mal se disaient que c'était toujours mieux que la taule, ou pire : l'exécution. Pour le reste, il suffisait de se tenir à peu près à carreau, de travailler, et les autorités fermaient les yeux, oubliaient même jusqu'à votre existence, votre nationalité.

Beaucoup faisaient partie de cette catégorie d'immigrants peu désireux de causer de leur passé. Mais d'évidence, il ne serait pas venu à l'esprit des natifs de poser des questions. Disons que depuis le temps que l'immigration criminelle existait, depuis le temps qu'elle compensait en partie l'émigration massive portée par le rêve d'un été permanent, c'était un bien pour un mal. Il fallait quelques bras pour faire tourner la machine, quelques porte-monnaie pour maintenir un semblant d'activité économique. Conscient de cela, chacun abandonnait sa curiosité et s'accommodait de l'autre. Quel que soit cet autre.

La ferme du vieux Tom ressemblait en tout point à toutes les fermes du coin. Elle se composait d'un petit bâtiment principal de deux étages où logeait le vieil homme. S'accrochait à ce bâtiment une étable tout en longueur – vidée de ses pensionnaires depuis que son propriétaire avait perdu ses jambes –, prolongée par un hangar. À l'intersection des deux corps de bâtiments, comme partout ailleurs, s'empilait en vrac sous un appentis chargé de neige le bois de chauffage. On aurait pu confondre la bâtisse avec la ferme de Sean, située dans les abords immédiats de la bourgade, ou avec celle de la veuve Liners, perdue aux confins sud de la vallée. Ici, nul ne cultivait de particularité, toujours on construisait de cette manière, toujours on entassait le bois à cet endroit. Il en allait ainsi depuis des générations. Sans doute y avait-il une bonne raison à cela, même si elle avait déserté les mémoires depuis longtemps. Et il en irait ainsi encore pendant des générations, peut-être même jusqu'à la fin des temps. Nats ne se plaignait pas de cet état de choses, il trouvait même cela rassurant. Après tout, moins on se posait de questions, mieux on vivait.

Arrivé sur le pas de porte, Nats hésita. Aussi bien, il pouvait laisser la commande du vieux Tom dans le caisson hors-gel prévu à cet effet (quelques boîtes de conserve, trois paquets de farine) et poursuivre sa route. D'un autre côté, se réchauffer quelques minutes près du feu lui ferait du bien. À Mademoiselle aussi.

Finalement, il abattit le heurtoir à plusieurs reprises et se prépara à attendre. Il fallait au vieux Tom le temps de déplacer sa carcasse sur fauteuil roulant, ça pouvait prendre dix bonnes minutes.

Ce ne fut pas le cas. La porte s'ouvrit presque aussitôt, mais pas de vieux Tom dans l'encadrement. À la place : une jeune fille, jolie, aussi rousse que la coque d'un bateau abandonné à la rouille.

Se pourrait-il qu'il se soit trompé de chemin, avec cette neige…

À la réflexion : impossible. Bientôt trois années qu'il empruntait le même itinéraire une à deux fois par semaine, quel que soit le moyen de locomotion, été comme hiver. Impossible.

Il tenta de dénombrer les taches de rousseur pigmentant la frimousse de la jeune fille, mais il abdiqua : impossible également.

— Entre, nous t'attendions, elle dit.

Sa voix était claire, dépourvue de cet accent qui faisait que les gens de la région n'étaient pas compris par ceux de la ville et inversement. Quant au reste, qu'il inspecta en la suivant, il était aussi bien fait qu'un homme peut l'espérer.

Elle portait un jean délavé, au-dessus, un pull moulant. Sa taille était marquée, ses hanches… Il s'efforça de penser à autre chose, n'importe quoi ferait l'affaire.

Cette horreur de bibelot, par exemple, celui en porcelaine trônant sur le buffet, comment peut-on fabriquer ça et le vendre alors que le monde est

24

d'une beauté infinie ? Enfin, alors que le monde se fait quelquefois arpenter par une beauté infinie.

Son regard revint sur elle.

Un adjectif lui grimpa au cerveau : époustouflant. Époustouflant, se répéta-t-il.

— Tu fais une de ces gueules, Nats. Rassure-moi, ce n'est pas la première fois que tu croises une jolie fille ?

— Chez toi, si ! Salut, vieux Tom, comment va ?

La réponse, Nats la connaissait.

— Ça roule, et toi ?

— Ça marche bien !

Après les salutations, il était d'usage que Nats ouvre le buffet pour y dégotter une bouteille de gnôle et deux verres, les remplir et trinquer.

Il n'osa pas, puis de toute façon elle s'en chargeait.

À présent, il éprouvait de la gêne à la regarder.

Il quitta ses gants, son écharpe et son manteau, alla déposer le tout en vrac sur le fauteuil près du feu et approcha l'ensemble de l'âtre. Au moins, au moment de partir, il serait au chaud quelques minutes de plus.

— Nats, voici Sarah. Sarah, voici Nats, dit le vieil homme en guise de présentations.

— Nats, ce n'est pas commun comme prénom. Un diminutif, peut-être ?

Il aurait voulu ne pas répondre, ou dire que non, que c'était Nats tout court, pas un diminutif, sauf qu'elle planta son regard émeraude dans le sien, et il réalisa qu'il était incapable de lui mentir.

— Le diminutif de Natsume.

— J'adore, elle dit. Et lui, c'est qui ? elle demanda en pointant le chien du doigt.

— C'est Mademoiselle.

— Ah. Pourtant on dirait bien…

— Que c'est un mâle ? C'en est un.

— Alors pourquoi ?

— Parce qu'on me l'a vendu pour une femelle, que j'ai pas pensé à vérifier tout de suite, qu'après, il répondait uniquement à ce nom-là.

— Logique.

Elle souriait disant ça, souriait lorsqu'elle le questionna encore :

— Tu sais cuisiner le lièvre ?

— J'ai quelques rudiments.

— Parfait.

— Sauf que je dois repartir.

— Hors de question, je te garde pour la nuit. Je prépare ta chambre, tu cuisines, tu repartiras demain.

Si seulement elle avait dit *on* au lieu de *je*…

Il objecta, lista quantité de raisons l'obligeant à reprendre sa route, n'en omit pas une seule, bonne ou mauvaise, mais finalement il céda, tandis que le vieux Tom se parait d'un sourire qu'il ne lui connaissait pas, un rictus du genre moqueur teinté de compassion et d'autres sentiments encore.

Et là-dessus elle s'éclipsa, laissant un bout de parfum traîner dans l'air.

Bientôt retentirent des pas dans l'escalier menant au premier étage, puis le plancher grinça, une chose que Nats n'avait jamais entendue. Et pour tout dire, le premier étage, il n'y était même jamais allé.

— Vieux Tom, peux-tu, s'il te plaît, effacer ce sourire goguenard de ta vieille gueule rougeaude ?

— Je ne souris pas, je me marre !

— Raison de plus.

— Merde, je n'aurais jamais cru qu'elle te ferait cet effet-là.

— Qui est-ce ?

— Ma nièce.

— Tu plaisantes ? Je ne te connais qu'une sœur, sur photo d'accord, mais…

— Mais il faut croire que les proverbes ne valent rien. Des fois, les chiens font bien des chats.

— De chouettes minettes, même !

— Qu'importe. Je m'occupe des légumes et toi du lièvre, si ça te va ?

— Pardon ?

— Je m'occupe des légumes et toi du lièvre. Ça te va ? Nats, tu devrais redescendre sur terre et cesser de regarder en l'air. D'une part, tu risques un torticolis, et d'autre part, à moins d'un miracle, il y a peu de chances que, d'ici, tu puisses voir sa petite culotte.

À contrecœur, Nats décrocha son regard du plafond, se leva, enfourna quelques bûches dans la cheminée, puis il poussa le fauteuil roulant du vieil homme avec le vieil homme dedans jusque dans la cuisine, jusque sous la table où s'étalaient navets, chou, pommes de terre, carottes, et un lièvre blanc avec autour du cou le collet qui le transformait en civet.

— Ça va comme ça ?

— Très bien. Si tu me files un couteau, c'est encore mieux. Si tu nous sers un verre, c'est parfait.

Nats s'exécuta et s'attaqua au dépeçage du lièvre. De temps en temps, il jetait un coup d'œil au plafond. Faut dire que ça remuait en chantonnant là-haut.

Retroussant la peau de l'animal comme on retrousse une chaussette, il pensait au « travail ». Mais le « travail » attendrait.

*

Le Terminus ne méritait plus son patronyme. Terminus, il l'avait été en un temps plus éloigné où hommes et machines avaient trouvé dans ces contrées reculées plus obstinée qu'eux, plus implacable : la météo. Plus tard, l'homme avait inventé d'autres machines, plus endurantes, plus performantes, les avait construites et avait ouvert des chemins, tracé des routes, posé des rails pour s'aventurer encore plus au nord. Le Terminus était un trois-en-un : hôtel, bistrot, bordel, où les clients de passage s'enivraient de luxure, d'alcool et d'un peu de sommeil.

La bâtisse de bois élevait sa blancheur sur trois étages, se flanquait de part en part d'un supermarché, d'une station-service, et s'encadrait d'une poignée de chalets faits de rondins bruts où logeaient le personnel des commerces et une armée de bûcherons.

La bourgade comptait quatre rues. Si elle avait eu un nom, il s'était abîmé quelque part dans les mémoires, ce qui faisait que le Terminus désignait à la fois l'hôtel et la bourgade. Cette situation arrangeait le plus grand nombre dans la mesure où le plus grand nombre n'aurait jamais eu l'idée de se donner rendez-vous ailleurs qu'au bar de l'hôtel. Les courses, le plein, s'il y avait lieu de s'en occuper, le plus grand nombre s'en occupait avant d'aller boire deux trois verres, souvent davantage.

Le plus grand nombre, qui, à dire vrai, faisait peu de monde, se composait essentiellement d'hommes. La gent féminine préférait déserter le Terminus pour ne pas croiser celles qui, contre quelques billets, soulageaient les fantasmes de leurs maris, fiancés, fils ou amants.

*

La première chose que Nats vit au réveil fut une tasse de café fumante qu'une main parsemée de taches de rousseur lui tendait. Il bredouilla un vague « Merci » et s'en saisit avant de se redresser.

Une fois installé, dos calé contre l'oreiller, il détailla les lieux. Tour à tour, son regard s'attacha à la commode, à la table de chevet ; la photo de mariage souriante posée dessus, l'armoire de bois vernis aux moulures paysannes, la chaise paillée sur laquelle étaient pliées et rangées ses fringues.

Rangées ?

Il répéta un « Merci », plus clair celui-ci, et tenta d'ébaucher un sourire sans y parvenir.

Il avait le crâne en feu.

Il avait froid.

Elle s'était assise sur le lit, tout près de lui. Elle portait un châle bleu nonchalamment jeté sur ses épaules, et une chemise de nuit de coton blanc. Une chemise de nuit d'un autre âge, pas assez épaisse pour qu'elle dissimule des mamelons que le froid durcissait et qui, tendant l'étoffe de part en part, s'offraient au regard.

Il la pria de se couvrir, la pria de l'excuser de lui demander ça.

Elle s'exécuta sans se hâter avec une moue amusée avant de dire :

— Tu ne devrais pas boire autant.

Il ignora le reproche d'un haussement d'épaules et tenta de se souvenir de la veille.

Le civet était réussi, de ça il était certain. Le repas : convivial. Mieux : plaisant, et, jusqu'à ce que le vieux Tom débouche une autre bouteille de son tord-boyaux, il se souvenait de tout, de sa bonne humeur à elle surtout. De ses rires. Après, plus rien.

— Je n'ai pas été trop…

— Entreprenant ? Si. Et lourd aussi, surtout lorsqu'il a fallu t'aider à monter l'escalier.

— Désolé.

— Et te déshabiller.

Il ne sut quoi répondre, aussi il ne répondit pas et avala une gorgée brûlante.

— Qu'est-ce que c'est, Nats ?

— Qu'est-ce que c'est quoi ?

— Sous ta chemise.

— Ah, ça. Trois fois rien. Un accident de jeunesse.

— Un accident ? Quel genre d'accident laisse le dos d'un homme dans cet état ?

— D'un genre qui se raconte pas.

Elle l'observa un long moment, muette, perplexe, interrogative, et il aurait pu trouver encore des centaines de qualificatifs pour ce regard-là si seulement il avait osé le soutenir. Mais à quoi bon, qu'est-ce que ça aurait changé dans le fond ? Rien.

— Il neige ? demanda-t-il.

— Comme chaque jour que Dieu fait à cette époque de l'année.

Il ne voyait pas trop ce que Dieu avait à voir avec la neige, ni avec quoi que ce soit d'autre ici-bas d'ailleurs, mais il s'abstint d'en faire le commentaire.

Il n'avait pas fini son café.

Elle ne s'en soucia pas. Elle récupéra la tasse à demi pleine, se leva, haussa imperceptiblement les épaules et sortit.

Une fois seul, il repoussa les draps, se glissa hors du lit pour aller se positionner dos au miroir de l'armoire. Là, il tourna la tête et observa pour la énième fois sa chair mutilée.

Ce n'était pas un dos. C'était à peine si, sous le magma des cicatrices, sous la chair boursouflée de milliers de rais turgescents, saillaient deux omoplates.

31

Comme chaque fois qu'il se retrouvait dans cette situation, qu'il s'observait le râble, un flot d'images lui traversa les méninges. Des images à cadence stroboscopique, toutes teintées d'une violence inouïe, d'une peur abyssale, un visage perçant un bref instant la pénombre.

Comme chaque fois, il dut empoigner les côtés de l'armoire pour ne pas perdre l'équilibre. Bientôt, un goût de métal lui envahirait la bouche. Puis, peu à peu, il reprendrait pied.

*

Nats descendit l'escalier avec toute la prestance d'un homme équipé d'une gueule de bois. Il s'attarda quelques minutes dans le salon pour nourrir l'âtre d'une brassée de bûches. Les lieux étaient rangés, la table débarrassée, ne restaient que les sets de papier. Il s'en approcha, se pencha à la place où il avait dîné. Le set était saturé d'esquisses réalisées au stylo-bille. Il s'en saisit et contempla son œuvre. Elle tenait davantage du gribouillage que de toute autre chose. Saoul, il dessinait encore plus mal qu'à l'accoutumée.

Il broya le set entre ses mains, en fit une boule et l'envoya nourrir les flammes de la cheminée. Cela fait, il rejoignit Sarah dans la cuisine. Elle n'avait plus l'air agacée du tout. Elle chantonnait en faisant la vaisselle. Du bout du nez, elle lui désigna le poêle sur le coin duquel trônait une cafetière italienne crachotant du bec, signe que le café était prêt.

Pour attraper deux tasses dans l'égouttoir, il la frôla.

Ce qu'elle sentait bon, madone…

Il la servit. Se servit. Demanda :

— Un sucre ou deux ?

— Trois.

— J'aurais pas cru.

— C'est normal, tu n'entends rien aux chiffres. Quel âge j'ai ?

— Vingt ans, peut-être moins.

— Vingt-six bientôt. Tu vois !

— Quoi ?

— Que tu n'entends rien aux chiffres.

Il sourit malgré lui.

Dehors, derrière les carreaux, tombait encore et toujours une neige aussi drue que si le ciel avait décidé de chialer tout son saoul de blancheur et de froid.

— Tu es née ici ?

— Pas très loin.

— Tu connais Sean ?

Elle posa l'assiette qu'elle essuyait, marqua un temps d'arrêt, sembla chercher ses mots.

— Je le connais.

— D'où sort-il ?

— Tout droit des Enfers. Et si ce n'est pas le diable lui-même, à coup sûr, c'est l'un de ses proches.

— Je voulais dire, d'où vient-il ? De la région ? Des environs ?

— Je ne sais pas d'où viennent tous les salauds qui peuplent le coin. Et pourquoi t'intéresses-tu

33

tellement à lui ? Tu ne devrais pas, il est dangereux. Mais ça, probablement que tu le sais déjà.

— « Salaud », tu y vas fort. On raconte que sans lui le vieux Tom y serait resté. C'est pas vrai ?

— C'est vrai. Et, pour cette raison, tout le monde le traite comme s'il n'était pas le pire des monstres que cette terre ait jamais porté. La vérité, c'est qu'il n'a pas eu le choix, il était là et, tu peux me croire, ce n'est pas par altruisme qu'il a conduit Tom à l'hôpital. Après ça, il savait pertinemment que chacun fermerait les yeux sur tout et tout le temps.

— Tu n'as pas répondu à ma question.

— Je ne connais pas la réponse. Pourquoi tu ne demandes pas à Tom ? Ou mieux, à Sean ?

— Disons que la relation que j'entretiens avec Sean m'interdit de le questionner. Quant au vieux Tom, il refuse de répondre, ou plutôt, il répond à côté.

— Et pourquoi répondrais-je à tes questions alors que tu ignores les miennes ?

— Parce que je te le demande gentiment.

Elle fit mine d'y penser, puis :

— Non, il n'est pas d'ici. C'est un immigrant, tout comme toi.

— Un immigrant de longue date ?

— J'avais dix-sept ans lorsque je l'ai vu pour la première fois, et, de ce que j'en sais, il était dans le coin depuis deux ans déjà.

— Tu t'en souviens précisément ?

— Je me souviens précisément de quoi ?

— De votre rencontre.

— Je m'en souviens beaucoup trop précisément. Et maintenant, fin de l'interrogatoire. Tom t'attend.

Il sourit de son agacement.

— Ton jean, il te dessine un cul d'enfer, il ajouta.

Elle le toisa, dubitative. Deux petites flammes s'allumèrent quelque part dans le fond de son regard et, ces deux petites flammes, il aurait juré qu'elles deviendraient brasier s'il soufflait dessus encore un peu.

Elle lui tourna le dos et reprit en main assiette et torchon.

— Même sans jean, j'ai un cul d'enfer, Natsume. Surtout sans jean.

Il n'avait jamais permis à quiconque de l'appeler Natsume auparavant.

D'elle, il l'acceptait, limite s'il ne trouvait pas ça agréable. Limite s'il n'y prenait pas goût.

*

Le vieux Tom s'affairait dans la pièce attenante à la cuisine. Pièce abritant une partie de l'alambic géant muni de quantité de poulies et de mécanismes étranges afin qu'un cul-de-jatte sur fauteuil roulant puisse le faire fonctionner seul. Le charbon dégringolait par un conduit – simple tuyau de poêle de grandes dimensions coupé dans sa longueur et suspendu aux poutres par des câbles – du premier étage où il était remisé, directement dans le foyer. Il suffisait au vieux Tom, pour raviver les flammes sous l'énorme citerne de cuivre, d'actionner un levier qui ouvrait la trappe. L'alimentation en matière première passait rigoureusement par les mêmes procédés. Elle était également remisée au premier étage, dans de larges citernes où elle macérait. Elle se composait principalement de pommes de terre auxquelles s'ajoutaient quelques herbes aromatiques connues seulement de l'alambiqueur. Pour soutenir les réserves de poids se trouvaient sous chaque poutre, environ tous les mètres, des étais de maçonnerie, ce qui conférait à l'ensemble des airs de machinerie diabolique. L'eau, elle, provenait d'une source naturelle : le toit. Sitôt l'alambic allumé, la neige posée dessus débutait sa fonte et s'écoulait en gouttes fraîches dans un réservoir pour rejoindre bientôt l'anarchique tuyauterie. Le bac réfrigérant enfermant son serpentin avait été logiquement placé au frais côté hangar, ainsi que les réservoirs de gnôle.

Nats admirait le pragmatisme et l'enthousiasme du vieux Tom. Après avoir perdu leurs jambes, quantité de types, s'imaginait-il, se seraient laissés aller à se morfondre et à ne rien faire si ce n'est regretter le temps béni de leur mobilité, sagement rangés près de la cheminée, freins du fauteuil roulant enclenchés, tasse de camomille fumante entre leurs doigts. Le vieux Tom, lui, avait revendu ses bêtes et les machines agricoles. Avec l'argent, il avait fait nettoyer l'étable de fond en comble, l'avait fait cimenter et avait commandé le matériel nécessaire à la construction de son alambic. Une fois la livraison réceptionnée, il avait fait dresser un mur pour diviser le bâtiment en deux parties égales, d'un côté

le laboratoire, de l'autre le hangar : abri des véhicules de livraison et de la gnôle. Dans la foulée, il
avait fait percer une ouverture dans le mur de la
cuisine et poser une porte et une petite passerelle
à pente douce afin de passer d'une pièce à l'autre
sans effort. Pour la maçonnerie, on l'avait aidé ;
pour l'alambic, jamais. Dieu seul savait comment il
s'était débrouillé.

Observant l'étrange machinerie, Nats se demandait si, tout de même, l'histoire ne tenait pas davantage du conte que de la réalité.

Pour l'instant, sourire aux lèvres, le vieux Tom
tournait à l'aide d'une grande cuillère dans un gobelet émaillé le nouveau cru et le humait. Il tendit le
gobelet à Nats.

— Pour confirmation, dit-il.

— Pas déjà. J'ai la cervelle qui se prend pour une
enclume et l'impression que ma boîte crânienne est,
question résistance, à l'opposé. Genre dentelle, tu
vois ?

— Je vois. Mais goûte quand même.

Machinalement, Nats tapota du bout de l'index le carreau du témoin de pression de l'alambic.
L'aiguille bougea d'un chouïa. Elle était loin de la
zone rouge, flirtait à peine avec l'orange, mais flirtait tout de même.

La cuve d'un alambic qui, sous trop de pression,
explosait, éparpillait par petits morceaux son monde
alentour, et loin, encore. Enfin, c'est ce qu'il avait
lu dans le quotidien du coin. Et il semblait bien que
la chose était moins rare qu'on ne le pensait, vu que

chaque fois qu'il ouvrait le journal un article traitait de ce genre d'accidents. Ce qui semblait être souvent, vu que le journal, il mettait pas la main dessus tous les quatre matins, lorsqu'il livrait la gnôle ou allait faire les courses, soit une à deux fois par semaine et voilà tout.

Pensant à ça, il se saisit du gobelet, y trempa les lèvres et avala une gorgée. Il refréna une convulsion de son estomac tentant un compte à rebours et retour. Trois… deux… Puis non, le liquide s'installa dans ses tripes, lui laissant en bouche une légère saveur astringente et sucrée.

— Une nouvelle recette ? il demanda.

— À livrer aujourd'hui.

— Combien ?

— Trois cents litres.

Il but une seconde gorgée pour être certain de la qualité. Il l'apprécia. Sûr que les clients du Terminus allaient aimer.

— Avec toute cette neige ça va pas être simple…, précisa Nats.

*

La notion de distance pour quiconque vivait ici était obsolète, nul ne s'exprimait en unités de mesure mais en temps de trajet, et ce temps pouvait varier du simple au quintuple selon la saison ou les caprices de la météo.

Des fermes habitées à proximité du Terminus, soit dans un rayon d'une trentaine de kilomètres, il n'en restait que quatre. Celle du contremaître se trouvait être la plus proche. Lorsque la route était praticable, il fallait à Sean une vingtaine de minutes pour gagner le clandé. Puis, toujours en direction du sud, à proximité de la route reliant la ville à la bourgade, s'étirant à l'infini, traversant un univers de gel et de désolation, se dressait celle de Nats. Venait ensuite celle du vieux Tom, adossée au bois qui s'étendait, touffu et sombre, sur des centaines d'hectares. Et enfin, dominant les trois premières parce que construite sur un léger renflement, se trouvait celle de la veuve Liners.

En plus des quatre fermes, nombre de chalets hébergeaient à longueur d'années les bûcherons qui, inlassablement, taillaient dans le paysage pour fournir en bois la ville située à une dizaine d'heures à cette époque de l'année, à peine trois lorsque la neige disparaissait en partie.

Au-delà de cette périphérie immédiate, beaucoup plus loin et de tous côtés, subsistaient encore quelques hameaux disparates, réunions de bâtiments agricoles accessibles uniquement pendant les beaux jours. À la belle saison n'y résidaient qu'enfants, femmes et vieillards, les hommes préférant, sous prétexte de renouvellement de matériel, de réparation ou toute autre raison arrangeante, déserter les lieux pour rejoindre ceux, plus accueillants, qu'étaient le bar de l'hôtel et les chambres des filles.

*

La toute première fois qu'elle avait senti le regard d'un homme se poser sur elle, Leïla avait treize ans et ce regard était chargé d'un désir dont elle ignorait alors la nature. Elle traînait dans les rues pour éviter de rentrer chez elle, aux côtés d'une mère préoccupée par une seule chose : demander à Dieu pourquoi son mari n'était plus de ce monde et s'en plaindre auprès d'effigies peuplant l'appartement, accrochées ici, trônant là.

Leïla avait souri par politesse.

Polie, Leïla l'était, bien élevée aussi, et sagement vêtue d'un chemisier blanc et d'une jupe qui lui descendait jusqu'aux chevilles. Aux pieds, elle portait des chaussures sans talon, des ballerines noires. Leïla ressemblait à une collégienne et ne s'était jamais posé la question de savoir si elle était jolie.

Elle s'était arrêtée devant une devanture de lingerie pour admirer un soutien-gorge couleur chair, une chair plus pâle que la sienne. Des seins, elle en avait, petits, ronds, naissants, mais de soutien-gorge pas encore.

Elle était restée là un moment à détailler les articles exposés en vitrine dans laquelle se reflétaient la rue et l'homme s'asseyant sur un banc pour y lire son journal. Le mannequin de plastique n'avait pas des courbes si différentes des siennes, il était peut-être un peu plus grand, voilà tout.

Qu'est-ce qui l'avait poussée à rejoindre l'homme sur le banc quelques instants plus tard ?

Leïla n'en savait rien.

Une fois assise, elle ne l'avait pas regardé. Pas davantage lorsqu'il avait déposé sur sa jupe quelques billets, qu'il lui avait saisi la main pour la guider sous son journal qui désormais reposait sur sa braguette ouverte et pleine.

Il avait joui rapidement, puis il avait remballé son plaisir discrètement et s'en était allé, journal sous le bras, sans se retourner.

Elle était restée là, assise, cherchant du regard quelque chose, n'importe quoi pour s'essuyer les doigts. Ne trouvant pas, elle les avait léchés pour ne pas salir ses vêtements. Le goût ne lui avait pas plu, ni déplu, d'autant qu'elle avait maintenant la somme nécessaire pour s'offrir le soutien-gorge et peut-être même la culotte allant avec.

Les achetant, Leïla ne songeait déjà plus à l'épisode du banc, pensait simplement qu'une fois revenue à l'appartement, il lui faudrait les planquer histoire que ni Dieu ni sa mère ne tombent dessus.

Mais, dans le fond, y avait-il une différence entre Dieu et Maman ?

*

Nats enfila sa veste, enroula une écharpe autour de son cou, sortit et prit la direction du hangar. La neige lui montait aux genoux : de la poudreuse, ça n'allait pas être une partie de plaisir, il pensa. Mais vingt pour cent sur la transaction de trois cents litres, ça ne se refusait pas. Une fois sur place, il procéda comme il procédait à l'accoutumée, à savoir : dans l'ordre. Tout d'abord, il allongeait la cuve vide sur le traîneau spécialement conçu pour elle, la sanglait solidement et poussait l'ensemble de façon que l'ouverture du récipient se trouve sous le bec du réservoir de gnôle. Cela fait, il ouvrait la vanne. Il fallait compter une trentaine de minutes pour le ras bord, il les occupait en faisant le plein de la motoneige, vérifiant, fouillant dans la mécanique, que tout était à sa place. Qu'était à sa place aussi, à l'abri sous la selle, le nécessaire de survie. Tout était là. Il graissa les éléments sensibles : la gaine dans laquelle glissait le câble de l'accélérateur ; celle du frein ; les roulements à billes des roues dentées entraînant la chenille ; ceux des roues de support. Puis il vérifia les niveaux d'huile et la batterie. Il se redressa, il était temps de fermer la vanne, de verrouiller la cuve, de s'en griller une, d'avaler un café, de manger un morceau, d'en griller une autre, et d'y aller.

Pour ce qui était des gestes, des vérifications mécaniques, il les faisait davantage par acquit de conscience que pour toute autre raison parce que, en vérité, il n'y connaissait rien. Le mécano de la station-service lui avait montré comment « bien s'occuper d'une motoneige ». « Bien s'occuper » étaient exactement les mots qu'il avait employés. Comme on s'occupe bien de ses clebs, de sa femme ou de ses gosses, avait pensé Nats. Mais, scrupuleusement, il avait suivi la démonstration en partant du principe du « sait-on-jamais ». C'était en soi un bel effort, parce que l'accent de Twigs la Levrette, mécano de son état donc, c'était pas le genre de trucs que tout le monde pouvait comprendre.

42

Twigs la Levrette était surnommé ainsi parce qu'au lit c'était sa position favorite. Ce n'était un secret pour personne. Comme il n'était un secret pour personne qu'il aimait être à quatre pattes plutôt qu'à genoux, devant plutôt que derrière. Le Terminus possédait dans l'un de ses tiroirs, pour le seul plaisir du frêle mécano, un godemiché que les filles se ceinturaient à la taille trois fois la semaine, les mardis, jeudis et samedis soir.

Cela n'entraînait aucune moquerie, pas même le début d'une petite remarque, plus depuis qu'un étranger fraîchement débarqué avait osé en rire. Le voyageur comptait poursuivre sa route plus au nord. Par sécurité, il avait laissé son pick-up à la station-service pour une révision générale.

Il n'avait pas croisé le mécano.

Et pour cause, c'était un jeudi soir.

Il avait eu vent des mœurs dudit mécano et s'en moqua ouvertement en prenant à témoin les clients du Terminus.

Twigs la Levrette était accoudé au zinc.

Le lendemain, Twigs trouva l'un de ces trucs qui font qu'un véhicule ne peut pas reprendre la route, un truc comme un piston aux allures de dysfonctionnement si évidentes que le moteur du pick-up se retrouva répandu en pièces détachées sur le sol de béton brut du garage et, bien sûr, quantité de pièces étaient trop usagées pour être réassemblées. « Parole de mécano. Fallait les commander ! »

— Ça prendra combien de temps ?
— Un peu de temps !

43

Deux mois plus tard, comme elle en avait l'habitude, la neige se pointa, drue, et avec elle, le gel. Les routes devinrent impraticables, la voie de chemin de fer *idem* parce que congères en travers, et le moqueur fut contraint de prolonger son séjour à l'hôtel.

Huit mois au Terminus, c'est long, encore plus long lorsque chaque mardi, jeudi et samedi soir se pointe un type en salopette couverte de cambouis qui vous nargue sans piper mot en sirotant sa gnôle, qui sourit de toutes ses dents manquantes, puis qui monte avec une fille en rigolant tout ce qu'il peut.

Huit mois au Terminus, c'est cher.

De quoi dissoudre ses économies pour le Grand Nord et le rêve allant avec.

La belle saison revenue, le moqueur reprit la direction du sud sans un sou en poche et en autocar parce que les trois quarts des pièces du pick-up, Twigs la Levrette les avait revendues pour dépanner untel ou untel. Des untel qui avaient compris que chacun son plaisir, chacun ses façons, tant qu'on pouvait compter sur un véhicule en état de rouler.

Nats aimait bien cette histoire-là, simplement parce qu'elle correspondait en tout point à Twigs la Levrette. Il imaginait Twigs jubilant en regardant le type grimper dans l'autocar, le buste maigre tendu en avant, les pieds bien à plat rivés sur son tarmac de station-service, clé de douze à pipe glissée dans la poche avant de sa salopette crasseuse, un sourire de satisfaction sur les lèvres.

Entrant dans la cuisine, Nats souriait.

Elle aussi lorsqu'elle dit :

— Ton café est prêt, moi aussi. Départ dans dix minutes !

*

De la lingerie, des dessous finement brodés de toutes les couleurs, Leïla en possédait à présent un plein carton. Elle se savait désormais jolie, désirable, et elle avait compris que beaucoup d'hommes étaient prêts à débourser quelques billets pour oublier dans les bras de la jeunesse ou entre ses cuisses la pesante routine du quotidien. Il suffisait de savoir s'y prendre. Elle savait être convaincante et avait appris à se servir de son corps, de chacune de ses parties. Elle ne ressentait aucun plaisir dans les chambres d'hôtel où ils l'entraînaient, mais pas de dégoût non plus. Elle se laissait faire ou faisait à la demande et, sortant de là, elle s'offrait ce dont elle avait envie, tout ce qui lui passait par la tête. Elle ne portait plus de jupes longues, plus de chemisiers blancs, plus de ballerines. Elle avait troqué son ensemble de collégienne contre des vêtements courts, échancrés, et des talons qui, trouvait-elle, donnaient à ses mollets le même galbe que celui des filles posant dans les pages des magazines.

Lorsque pour la première fois sa mère l'avait vue ainsi vêtue, elle avait hoqueté, s'était signée, puis prestement était allée s'agenouiller devant l'une de ses statuettes, flanquée de deux cierges, en psalmodiant quelques prières.

45

Leïla avait respiré à son aise, jamais les cris ne viendraient, jamais les reproches ne seraient formulés, seul resterait l'appel au divin afin qu'il rapatrie un père de l'au-delà pour qu'il remette sur le droit chemin sa gourgandine de fille.

Leïla ignorait la signification du mot gourgandine et s'en fichait. Elle avait abandonné les études, son carnet de rendez-vous était plein. Elle savait écrire, compter, et avait la certitude de savoir l'essentiel. En tout cas, d'en savoir suffisamment pour ne manquer de rien, jamais.

Elle se levait tard, rentrait tout aussi tard pour relever sa mère de son agenouillement, la doucher parce qu'elle en était désormais incapable, trop occupée à se tordre les doigts en priant. Et, lorsqu'elle éteignait la lumière de la chambre maternelle, après s'être assurée que les yeux de la dévote étaient clos de sommeil, elle se disait toujours que peut-être, que sûrement, la vie ailleurs ne ressemblait pas à ça.

Les semaines avaient filé, avec elles l'esprit de la dévote qui désormais implorait le ciel en coinçant sous ses genoux un crucifix qui marquait sa chair jusqu'au sang. Les mois étaient passés jusqu'à ce que le visage de sa mère atteigne la douceur extatique de ses effigies, jusqu'à ce que porter un aliment à sa bouche lui soit devenu non pas impossible mais dépourvu d'intérêt, jusqu'à ce qu'elle ne reconnaisse plus sa fille.

Alors Leïla avait réuni en deux valises l'ensemble de ses fringues, avait décroché le téléphone pour signaler qu'ici, sans assistance, quelqu'un allait mourir. Puis elle avait tiré la porte de l'appartement en laissant les clés dessus.

Une fois dans la rue, l'air lui avait semblé neuf, contenait ce on-ne-sait-quoi de fraîcheur et de liberté.

Elle s'était dirigée vers la gare routière. Au guichet, elle avait demandé un billet pour…

— Pour où ?

Elle ne savait pas.

Le guichetier l'avait reluquée, son regard avait longuement envahi son décolleté, et il avait dit :

— Si le froid ne vous gêne pas, j'ai la destination qu'il vous faut.

— Rien ne me gêne, elle avait répondu dans un clin d'œil.

Leïla ne se prénommait pas Leïla, mais dans l'autocar qui l'emmenait dans une ville plus au nord, un article de magazine évoquait ce prénom. Elle l'avait adopté.

Leïla, c'était drôlement joli.

*

Discuter avec Sarah, lui faire entendre raison, d'évidence Nats ne savait pas.

— Il fait froid, et avec cette neige le Terminus est à une heure de route.

— Ça me rassure que le Terminus ne se soit pas déplacé depuis sa construction et qu'il y ait encore des saisons.

— Le vieux Tom désapprouve. Inutile que j'aille lui poser la question.

— Inutile en effet. Je suis majeure.

— J'ai pas de place.

— Il en reste une, juste derrière toi. Sur la selle, tu sais...

— C'est celle de Mademoiselle.

— Je le prendrai sur mes genoux.

— Si t'as besoin de quoi que ce soit, je peux aller au supermarché.

— Je doute que tu possèdes les compétences requises pour acheter de la crème pour le corps et d'autres choses plus personnelles...

— Je comptais pas rentrer ce soir.

— Ce qui me donnera l'occasion de visiter les étages du Terminus.

Il se resservit une tasse de café, l'accompagna d'une cigarette, demanda sans trop y croire :

— Aucune chance que tu renonces ?

— On dirait que tu ne connais pas les gens du coin, et encore moins les femmes.

Il se leva. Agacé, il écrasa sa cigarette et ajouta à contrecœur :

— O.K., mais je t'entends pas moufter. Je t'entends pas te plaindre. Je t'entends pas tout court. Tu décroches pas ton pas de mes bottes. Tu t'éloignes pas à moins d'un demi-mètre.

— Bien, chef.

— Tu me colles, compris ?

— C'est une proposition ? Parce que si c'en est une...

48

— Je plaisante pas, Sarah, y a plus de timbrés au Terminus que tu pourras jamais en croiser en une vie entière, même si tu turbinais nuit et jour dans un asile psychiatrique.

— Je te rappelle que j'en connais la plupart…

— Ouais, ben t'imagine pas un seul instant qu'ils sont dedans comme dehors. Dedans, ce sont des loups.

— Je te colle, promis.

Disant ça, elle arborait le sourire d'une môme à qui l'on vient d'offrir le dernier modèle de poupée et sa panoplie d'accessoires.

— Et ne parle à personne de ce que tu as vu cette nuit.

Elle chercha quelques instants.

— Ton dos ?

— À personne !

— Dois-je en déduire qu'aucune des filles du Terminus n'a eu l'occasion de…

— On peut garder sa chemise pour ça.

— Évidemment.

— Maintenant, ferme-la et va enfiler une autre veste.

— Par-dessus celle-ci ?

— Oui. Fais ce que je te dis et…

— Je la ferme !

Traîner la cuve remplie jusqu'à la gueule sur des dizaines de kilomètres était une chose, la décharger en était une autre. La dernière phase nécessitait un chariot élévateur et un type qui sache conduire l'engin. Twigs la Levrette s'en occupa, casquette inversée sur ses cheveux blonds mi-longs qui, par mèches collées de gras, sortaient de là-dessous en rebiquant vers le ciel, écouteurs d'un lecteur CD collés sur les oreilles. Il en profita pour basculer de fréquents coups d'œil en direction de Sarah. Des coups d'œil d'un genre que Nats n'aimait pas.

Il regrettait d'avoir cédé et sentait confusément que ce n'était que le début.

Une fois la gnôle à l'abri dans le garage, Twigs chargea une cuve vide sur le traîneau – la consigne en quelque sorte – et retourna à ses affaires, non sans avoir coulé un dernier regard de leur côté qui en disait long sur ses envies.

Nats proposa qu'elle fasse les courses tandis qu'il irait encaisser la livraison au Terminus, mais ça ne lui disait rien d'être seule. Elle n'avait pas confiance, chaque homme croisé semblait la regarder comme si…

— La dernière fois que tu as mis les pieds ici, c'était quand ? demanda-t-il tandis qu'elle s'agrippait à son bras.

— Je partais pour l'université. J'ai déposé le pick-up de Tom au garage, comme il n'y avait personne j'ai laissé les clés sur le contact et j'ai grimpé dans l'autocar. Ce qui veut dire que je ne me suis pas attardée, pas comme aujourd'hui. Et c'était la seule fois. Interdiction paternelle dans un premier temps, puis maternelle, et Tom a pris le relais pour finir.

— Alors tout s'explique.

Il évita de dire qu'il l'avait prévenue, que, d'une certaine manière, elle ne l'avait pas volé et toutes ces choses qui l'auraient blessée alors que c'était en partie sa faute à lui. Dans la foulée, il évita de se faire quantité de reproches. Il aurait pu, à propos de cette façon qu'il avait eue de lui céder, mais les regrets n'étaient pas dans sa nature. Bon, maintenant qu'ils étaient là tous les deux, ils faisaient ce qu'ils avaient à faire sans trop de casse et repartaient fissa.

Mademoiselle trottinait devant, pistait les endroits hors neige pour y poser les pattes, les trouvait. Faut dire que le chemin qui menait au Terminus, il le connaissait.

Arrivé devant la porte de l'hôtel, ils enjambèrent deux corps ivres morts dont l'un semblait atteindre la raideur cadavérique. Il était allongé sur le dos, sa barbe était gelée, entre ses mains blanches placées au niveau de sa poitrine, il serrait une bouteille vide.

— On ne peut tout de même pas les laisser là, elle dit.

— S'ils sont dehors, c'est que le dedans n'en veut plus. Et y a pas d'autre dedans qui les acceptera. On ne peut rien faire. Viens.

Elle secoua la tête puis la baissa, honteuse, pour entrer à la suite de Nats.

*

Si l'extérieur du Terminus ne payait pas de mine, il en allait autrement de l'intérieur. Il était l'œuvre d'un architecte convaincu que les hommes ne pourraient pas s'aventurer au-delà, convaincu, de fait, que la bourgade se muerait tôt ou tard en ville.

Aussi avait-il conçu des lieux confortables, pour ne pas dire luxueux. Deux portes tambour se succédaient. Entre elles, un couloir aux plinthes hautes et sculptées de volutes végétales jouait le rôle de sas et celui d'entrée. La seconde porte s'ouvrait sur une salle aux dimensions effarantes, au plafond haut où s'accrochaient des rosaces reprenant les motifs des plinthes. S'y accrochaient également des lustres de cristal taillé, rutilants et imposants. L'ensemble de l'ouvrage était soutenu par des colonnes de style corinthien reposant sur un sol carrelé, orné d'arabesques tout aussi végétales.

D'ici s'enroulaient un large escalier en ellipse et son tapis rouge conduisant aux étages. D'ici, c'est-à-dire de ce qui un temps avait été l'accueil et désormais le bar, s'étirait un comptoir de zinc courant sur une trentaine de mètres. Il avait été rajouté par la suite sans grand souci de respect du style. Quant au mobilier d'origine, il ne comptait plus que quelques banquettes profondes au cuir craquelé d'usure, quelques tables aux plateaux de marbre fêlés, aux pieds lourds de fonte, et autres chaises qui par miracle avaient échappé aux mains des cogneurs les soirs de bagarre.

*

Elle pensait se débrouiller seule, mais chacun des bouts de trottoir sur lesquels elle tapinait appartenait à quelqu'un qui n'appréciait guère de ne pas être dédommagé pour son carré de bitume. Leïla s'était donc rapidement retrouvée sous la férule d'un protecteur sans scrupule et à la main leste. Elle était passée d'un clandé au suivant, pour l'essentiel des endroits sales aux chambres sordides où les clients avaient tous les droits, y compris celui de cogner les filles si ça leur disait, et ça leur disait souvent. Elle louait sa chambre, payait ses repas et reversait la moitié de ses gains à l'homme à la main leste. En fin de semaine, il ne lui restait rien, si ce n'est le rêve d'un jour s'enfuir. Puis était venu un client un peu plus doux que les autres, un beau parleur qui avait évoqué le Terminus et comment on y protégeait les gagneuses qui y travaillaient. Elle l'avait questionné, il avait répondu en échange de caresses expertes.

Les semaines qui avaient suivi, elle s'était privée de tout, mangeant peu, travaillant plus que son corps ne pouvait en supporter afin d'économiser l'argent du voyage.

Un matin, alors que l'aurore imprégnait la ville d'une pâle lumière, que sur les trottoirs ne se pressait pas encore la foule, elle avait vidé les lieux sans rien prendre d'autre que ce qu'elle portait et avait grimpé dans l'autocar.

Elle ne s'était détendue qu'en passant la frontière. Elle n'avait retrouvé son sourire que lorsqu'elle était entrée dans la grande bâtisse blanche. Elle l'avait de nouveau perdu lorsque, à la table du fond, elle s'était entendu dire par un homme au visage émacié qu'au Terminus il n'y avait jamais plus de douze filles et que le compte y était.

Elle avait fondu en larmes, avait supplié, argumenté qu'elle n'avait plus un sou, qu'elle ne savait où aller, qu'elle était prête à tout, qu'elle...

— Je paye sa chambre, avait dit un autre homme accoudé au zinc sans lever le nez de sa tasse.

— Ça risque de durer.

— Je payerai le temps qu'il faudra.

— Comme tu veux, mais elle ne retape pas. Et je ne veux pas la voir ailleurs qu'en cuisine ou dans sa chambre. Pas dans la salle, sinon tu la fous à la porte. Compris ?

— Compris.

— C'est bien parce que c'est toi, Nats, avait dit l'homme au visage émacié avant de se lever, de se chapeauter d'un feutre et de s'en aller.

Elle l'avait regardé partir, indécise, gênée d'être ce qu'elle était pour la première fois de sa vie, et elle s'était approchée du comptoir.

— Je ne sais pas comment vous remercier, elle avait dit, consciente du convenu de sa phrase, consciente de ne pas trouver plus approprié.

— Pas de la manière dont tu l'imagines. En me remboursant plus tard, ça ira.

Elle avait trouvé son regard d'une dureté incroyable, pourtant, disant ça, il souriait.

— Je rembourserai.

Il avait fait le tour du zinc pour ouvrir le tiroir-caisse, le fouiller, en sortir une clé accrochée à un porte-clés comme elle n'en avait jamais vu, doré, lourd, estampillé au nom de l'établissement.

54

Il le lui avait tendu mais, alors qu'elle s'apprêtait à s'en saisir, il avait suspendu son geste pour préciser :

— On est bien d'accord, tous les deux ? Que je voie le bout de ton nez ou ton joli petit cul se trimballer dans la salle lorsque le bar est ouvert et je demande à l'Irlandais qui est là de te flinguer. Ensuite, je file ta carcasse aux corbeaux.

— C'est pas une balle que j'ai envie de te loger dans le corps, mais si Nats me le demande, tu peux être sûre que c'est ce qui t'arrivera, avait précisé l'Irlandais en poussant une tasse de café fumante dans sa direction. Sûr de sûr !

— Je m'appelle Leïla, elle avait bredouillé, avant d'ajouter un « Merci ».

*

Faute d'entretien, faute de réparations, le Terminus ressemblait davantage au vestige d'une époque révolue, mais ressemblait en tout point à l'idée que l'on se fait d'un clandé. Faut dire que les illustrations accrochées aux murs ne prêtaient aucunement à confusion, déclinaient l'acte charnel en détail, sans réserve et sans limites.

La salle était vide ou presque. Seul un homme s'accoudait au comptoir et sa position laissait présager que la chute était proche. Derrière le zinc sifflotait un grand gaillard du nom de Thomas McKilian. Un émigrant d'origine irlandaise échoué là depuis quelques années et qui avait trouvé dans le

Terminus et ses mauvaises manières de quoi satisfaire les siennes. Voyant arriver Nats en compagnie de Sarah, il se para d'un sourire mitigé et demanda :

— Tu as fait bonne route, Nats ?

— Aussi désagréable que d'habitude.

— Tant mieux. T'as quoi dans le dos ? Une nouvelle recrue pour le premier étage ?

— Elle m'accompagne, fous-lui la paix.

— Une sacrée jolie petite gueule, si ça lui dit de gagner quelques billets vite fait en montrant le reste.

— Encore une remarque comme celle-ci et je te dis combien de fois j'ai pissé dans la gnôle.

L'Irlandais fit la grimace mais, pour autant, il ne cessa pas de reluquer Sarah qui, de son côté, regardait ailleurs.

— C'est pas pour insister mais…

— C'est la nièce du vieux Tom.

Dans la tête du barman irlandais défila une ribambelle d'ennuis auxquels il s'exposait s'il insistait. Dans le meilleur des cas : la perte de son emploi. Dans le pire : on le retrouverait au dégel dans un sous-bois à quelques centaines de kilomètres d'ici avec plus une dent dans la bouche, plus de doigts aux mains, et dans le corps suffisamment de plomb pour organiser une partie de chasse.

S'il n'avait plus de jambes, le vieux Tom avait la réputation d'avoir le bras long, et de s'en servir à l'occasion.

— Je vous prépare deux cafés, c'est la maison qui offre. Installez-vous dans le fond, vous ne serez pas dérangés. Je veille, mais je ne promets rien si vous vous éternisez.

— On fait que passer.

Sarah se laissa conduire, s'assit où Nats l'assit, dos tourné à la salle. Il s'attabla face à elle et précisa :

— Te fais pas d'illusions, l'Irlandais connaît les règles, mais les règles, pas mal s'en foutent.

Elle ne dit mot, se contentant de jeter des œillades gênées aux illustrations pornographiques ornant les murs sur lesquels une tapisserie jaunie de nicotine dégringolait en maints endroits.

Quelques secondes plus tard, l'Irlandais se ramenait avec sur son plateau deux cafés accompagnés de deux verres de gnôle. Il posa le tout sur la table avec l'élégance d'un serveur qui de sa vie n'a jamais appris le métier. Il y ajouta une liasse de billets et un flingue sommairement enroulé dans une serviette de table crasseuse.

— Les cafés, le règlement de la gnôle et un truc qui traîne dans le tiroir-caisse depuis longtemps et qui t'appartient. Fais gaffe, il est chargé, il ajouta, avant d'aller s'occuper d'un groupe de bûcherons qui, avec bruit et fracas, s'alignaient le long de son zinc.

L'après-midi était entamée, les affaires reprenaient. Bientôt les filles débarqueraient, le silence n'existerait plus que pour ceux qui, trop saouls, se seraient écroulés dans un coin ou pour ceux qui, trop pauvres ou trop peu prévoyants, finiraient dehors parce que plus de quoi régler leurs consommations.

Nats glissa le flingue dans l'échancrure de son jean, faillit se lever pour s'en aller mais, comme Sean faisait son entrée, il se ravisa.

Elle osa avancer que, peut-être, il serait temps de déguerpir.

Il ne répondit pas, se contentant de chercher dans les traits de Sean, dans sa façon d'être, de se tenir, quelque chose qui l'assurerait qu'il ne pouvait se tromper. Il avait observé le contremaître ainsi maintes et maintes fois, mais jusque-là rien n'était venu corroborer pleinement son intuition, rien n'affirmait avec certitude que cette silhouette, cette voix, ces gestes étaient ceux de ses souvenirs.

Machinalement, sa main glissa dans la poche intérieure de sa veste et trouva un stylo. Et tout aussi machinalement, à même la nappe de papier, il esquissa un portrait, puis deux, puis... Il dessina le même visage, toujours.

— Qu'est-ce que tu fais, Nats ?

— Je travaille, il répondit.

— Tu travailles ?

— Je travaille !

*

Au Terminus, le temps passa.
Un peu.
Beaucoup.

*

Elle le secoua sans ménagement.

Il sortit des abîmes du passé comme on s'éveille d'un cauchemar pour réaliser que les filles étaient entrées et, avec elles, trop de gueules cassées.

Ils se levèrent et prirent la direction de la sortie. Jusqu'au zinc tout alla bien mais, arrivés là, un teigneux à la face rougeaude et au nez brûlé de froid décida qu'il avait envie d'une rousse. Ses mains au passage trouvèrent la taille de Sarah pour l'attirer à lui, puis il relâcha son étreinte parce qu'avec le canon d'un flingue planté dans la gorge, celui de Nats, c'était pas pratique pour la bagatelle.

Le silence s'installa, épais, opaque.

L'armée de bûcherons n'apprécia pas que l'on prenne l'un des leurs en otage, ils se tournèrent ensemble pour signaler leur désapprobation, poings serrés, compacts, trop nombreux.

L'Irlandais, le doigt posé sur la gâchette d'un fusil surgi des dessous du comptoir, précisa :

— On ne touche pas à la nièce du vieux Tom.

— J'en ai rien à foutre du vieux Tom, je l'emmerde le vieux Tom, je le connais pas, moi, le vieux Tom, répondit l'otage.

— Si tu ne connais pas le vieux Tom et si tu n'as aucun respect pour sa nièce, alors tu n'as rien à foutre ici, ni même rien à foutre en vie. Tu le flingues, Nats, ou tu préfères que je m'en charge ?

Les mots de Sean eurent pour effet qu'une armée de bûcherons se désintéressa d'un coup de la situation. De concert, ils se retournèrent côté zinc et reprirent leurs conversations là où ils les avaient laissées.

— Ça va pour moi, répondit Nats.

— Alors, je m'en occupe. Sortez !

Ils atteignaient la sortie lorsque Sean ajouta à l'adresse de Nats :

— Et fais en sorte qu'elle perde cette habitude. J'ai pas que ça à foutre, sauver le cul d'une midinette.

*

Une fois dehors, Nats demanda :

— Qu'est-ce que Sean a voulu dire ?

Mais Sarah vomit, laissant la question en suspens. Puis elle s'enfourna dans la bouche une poignée de neige, la recracha après l'avoir longuement baladée d'une joue à l'autre, liquide désormais.

Il la prit dans ses bras, la serra. Elle tremblait. Il ne trouva rien d'autre à dire que :

— Viens.

— Où ?

— Chez moi, si ça te va.

Elle s'essuya la bouche d'un revers de manche, demanda cinq minutes histoire de respirer. Elle en prit quinze, assise sur les marches du perron, toujours tremblante, tête posée entre ses mains gantées. Puis elle releva sa frimousse perlante de larmes pour demander :

— Tu me prêteras ta brosse à dents ?

— Tout ce que tu veux.

Elle rajusta sa veste, respira profondément, dit « O.K. ! », se leva et marcha d'un pas hésitant.

Nats siffla Mademoiselle et grommela quelques mots inaudibles. Il n'aimait pas l'idée d'être redevable de quoi que ce soit à un salaud comme Sean. Il rattrapa Sarah quelques mètres plus loin pour lui saisir la main et lui faire prendre la bonne direction, celle de la station-service.

Lorsqu'ils arrivèrent, Twigs la Levrette souriait de pas mal de dents manquantes. Précisa que l'excédent sur la cuve était à jeter quelque part plus loin, sinon, le plein de la motoneige était fait.

Nats visa l'excédent, il était nu, sanglé serré, face rougeaude et ventre blanc contre la cuve.

Sean ne perdait pas de temps, tenait ses promesses.

Il haussa les épaules.

Sarah vomit une fois encore.

Elle rêvait d'une douche, d'une brosse à dents.

De foutre le camp et vite.

Elle repensa, tandis que la motoneige démarrait, qu'elle se collait contre Nats pour chercher un peu plus de chaleur, à cette phrase qu'il avait prononcée tout à l'heure : « Dedans, ce sont des loups. »

Elle comprenait à présent.

*

Outre ses activités principales, débit de boissons et location de charmes, le Terminus gérait quasiment toute l'activité économique de la région. La station-service appartenait au Terminus, ainsi que le supermarché. Il possédait également les chalets l'encadrant, les machines nécessaires à la coupe et à l'acheminement du bois, et chacune des exploitations forestières sur lesquelles les hommes trimaient six jours sur sept par tous les temps. À la tête de cet étrange consortium, gérant et décisionnaire au quotidien, se trouvait le contremaître. La place était enviable, remplir ces fonctions consistait à prélever dix pour cent sur l'ensemble des recettes.

D'aucuns disaient connaître celui qui nommait le contremaître, le patron, le grand patron, mais en vérité ces affirmations tenaient davantage d'allégations d'ivrognes et elles ne s'appuyaient sur aucune réalité tangible.

Cependant, ce que tous savaient était que le contremaître recevait ses ordres par un seul canal : le téléphone. Ainsi, le Terminus possédait deux appareils de ce type, l'un placé derrière le comptoir, que le personnel avait à disposition pour passer commande, appeler une famille lorsqu'il en avait encore une, et un autre se trouvant dans la salle attenante. Ce dernier était accroché au mur, sonnait rarement et seulement en trois occasions. La première pour ordonner une extradition ou une mise à mort. La deuxième pour signaler la cessation d'activité de l'une des filles et l'arrivée de sa remplaçante. Et la troisième pour prévenir que le percepteur allait passer tel jour, telle heure. Dans ce dernier cas, un homme encostumé de gris se pointait, jamais le même, au jour et à l'heure dite. Il vérifiait les comptes en compagnie du contremaître et, après avoir prélevé sa part, il entassait les bénéfices dans deux cantines que le personnel chargeait, sanglait sur le plateau d'un pick-up, qui reprenait la route en direction de la ville.

Il ne serait venu à l'idée de personne de braquer le percepteur. Ce que le contremaître pouvait développer comme imagination pour punir un imprudent n'était rien en comparaison de celle du grand patron.

On racontait qu'un fou s'y était essayé. Quelques jours plus tard, à l'aube, sur une estrade élevée tout exprès pour ça, devant le Terminus, les bûcherons avaient découvert à leur réveil un homme en cage. À côté de lui, son larcin reposait dans un sac ; plus loin gisait le bras qui lui manquait désormais au corps. Face à lui, un loup adulte montrait les crocs. L'imprudent ne saignait pas, il avait été suturé, soigné à la suite de son amputation. Aussi, il assista, impuissant, au festin de sa propre chair, et bientôt, le loup eut de nouveau faim.

Quant au sac qui contenait l'argent, il se répandit aux quatre vents.

Pour le grand patron, l'argent comptait moins que les règles.

Nul ne pouvait authentifier cette histoire. Elle datait d'une autre époque dont ne survivait aucun témoin. Pour autant, elle résidait dans la tête de chacun et si chacun avait conscience que la mort pouvait le faucher à chaque instant, de la pire des manières qui soit, chacun préférait une autre manière, n'importe laquelle mais pas celle-là. Même si, de loup, on n'en avait pas vu la queue d'un depuis longtemps.

*

Comme chaque fois que Nats relâchait son attention ou était distrait par autre chose que la routine
du quotidien, des flots de pensées lui envahissaient
les méninges. Ils se composaient pour l'essentiel de
mauvais souvenirs : enfer de douleur et de peur. Il
sentait l'homme dans son dos, penché sur lui dans la
pénombre d'une cave. Il revoyait l'ampoule nue qui,
pendant au bout de son fil, se balançait à chaque
coup. Elle projetait une faible lumière, dessinant sur
le mur l'ombre de son tortionnaire.

— À quoi penses-tu ?

— Rien d'important, il répondit, sans cesser de
lui frotter le dos.

Il déglutit afin d'effacer le goût de métal imprégnant sa langue et se contraignit à se remémorer
d'autres événements : le trajet du retour.

Il avait coupé les sangles retenant le corps désormais congelé de l'excédent. L'avait fait rouler plus
loin du bout du pied, avait jeté dessus quelques pel-
letées de neige. Au dégel, les charognards le dépéce-
raient. Plus tard, les larves, les insectes nettoieraient
sa carcasse jusqu'au blanc des os. Et si jamais l'im-
probable se produisait, que les autorités fassent
preuve d'un zèle inhabituel, pour peu qu'elles
tombent sur les restes du corps et s'y intéressent,
elles ne pourraient l'identifier faute d'empreintes.
Les doigts de l'excédent avaient été passés un à
un à la flamme. Quant à ses dents, tout comme ses

mâchoires, elles avaient disparu, emportées à grands coups de masse ou à l'aide de tout autre outil.

Il s'était roulé une cigarette. La fumant, il avait tassé la neige sur la tombe de fortune d'un revers de pelle, puis il avait rejoint Sarah, qui n'avait pas quitté le siège de la motoneige. Elle était grelottante, tremblant de froid, le regard perdu quelque part au-delà d'un horizon inexistant.

Maintenant, il tentait de la réchauffer.

Le chauffage d'appoint nourri à la gnôle tournait à plein régime. Sa cloche de verre rougeoyait, intense, lumineuse, éclairait le débarras faisant office de salle de bains. Il devait bien faire vingt degrés là-dedans : un summum de confort. Par pudeur, assise dans le tub, elle avait gardé son tee-shirt et son caleçon long. En un sens, c'était pire, le tissu lui collait à la peau, se resserrait davantage encore lorsque Nats versait entre ses omoplates, entre ses seins, des seaux d'eau chaude, dessinant au plus près ses courbes, révélant leurs pleins, leurs déliés.

Il la déshabilla.

Elle se laissa faire.

Il l'enroula dans un drap de bain, la frictionna encore, et il la porta dans la chambre, jusqu'au lit, pour la noyer sous une pile d'édredons.

Elle s'endormit aussitôt.

Il brisa quelques brindilles entassées près de la cheminée tout exprès pour ça, les plaça sous trois bûches croisées, empilées en quinconce dans l'âtre et y mit le feu. Il souffla sur les flammes naissantes jusqu'à ce qu'elles deviennent flambée et montent haut dans la cheminée. Ensuite, il alla se fondre dans son eau à elle. Elle était encore chaude. Elle sentait elle.

Il attrapa une bouteille nichée dans le placard à proximité du tub, la déboucha avec les dents, cracha le bouchon au loin, avala une gorgée, une seconde, et pensa : « Foutue journée ! »

Son regard s'attarda ici et là. Et là débordait de la poche du jean de Sarah, roulé en boule sur le plancher, un petit carnet noir. Il tendit la main pour s'en saisir et l'ouvrit.

Il n'y découvrit aucune phrase, mais des séries de chiffres. Sarah notait chacune de ses dépenses et, au bas de chaque page, le cumul grossissait. Il en allait ainsi jusqu'au milieu du carnet.

Il le referma précipitamment et le replaça tel qu'il l'avait trouvé. L'envie de mieux la connaître le taraudait, mais on ne commençait pas une relation en violant l'intimité de l'autre.

Encore qu'en l'état, « relation » était un bien grand mot.

— Foutue journée, il répéta.

*

Pendant son sommeil, la main de Nats trouva la taille de Sarah, suivit la courbe conduisant à une fesse, la caressa, fit machine arrière, remonta, découvrit un sein rond, lourd, brûlant, l'enroba et s'en tint là.

66

La lumière du petit matin irisait la neige, se frayait un chemin dans l'interstice de deux volets clos, pénétrait la chambre, marquant en un rai diagonal le dos de Nats dépourvu de drap.

Du regard, elle suivit le tracé du collier qu'il portait au cou, simple câble d'acier fin au bout duquel, enchâssée dans un médaillon à l'effigie d'un saint, pendait une plume défraîchie.

Puis, fascination de la répugnance, elle posa l'index sur une balafre épaisse qui partait des reins pour rejoindre l'aisselle, la suivit, hésita en chemin tellement d'autres pistes étaient possibles.

Il frémit, remua.

Elle retira sa main prestement et s'en tint là.

Entre chien et loup

Pendant les quinze années qui l'avaient éloigné de la bicoque et de sa nuit de souffrance, Nats était allé d'un boulot à un autre, d'une région à la suivante, ici pour y poser des rails, là pour labourer la terre, plus loin pour élever des murs...

Ses épaules s'étaient élargies, sa cage thoracique avait doublé de volume, sous sa peau roulaient désormais des muscles et sa démarche n'était plus celle d'un adolescent, mais bien celle d'un adulte rompu au labeur.

Homme à tout faire itinérant, voilà comment à cette époque Nats se définissait, et cette situation lui convenait. Jamais plus de trois mois en place, jamais le même travail et toujours à l'air libre. L'idée d'être enfermé ailleurs que dans un autocar le menant ailleurs ou dans les salles de boxe dans lesquelles il passait l'essentiel de ses loisirs le révulsait.

Il n'avait jamais dérogé à la règle, hormis cette fois où, parce qu'il était tombé raide dingue d'une fille, il avait posé son sac trois années d'affilée.

Elle se prénommait Suzie, disait que les sentiments que Nats éprouvait pour elle étaient réciproques, alors il avait stoppé son errance, oublié sa quête, pour dénicher un appartement, un boulot qu'il n'aimait pas et, pourquoi pas, envisager sérieusement de lui tenir la main une éternité voire davantage. Mais la belle, lasse du quotidien ou pour toute autre raison qui échappait à Nats, avait posé son regard sur un autre, et dans ce regard il avait lu du désir. Elle n'avait pas compris que pour un simple regard il la trompe et recommence. Elle n'avait pas compris qu'ensuite il fasse son sac et reprenne la route là où il l'avait laissée.

Nats avait cette haute idée de l'amour qui faisait que le ciel se doit d'être d'un bleu azuréen, sans nuage, jamais. Au nom de cette idée, il avait écrasé son chagrin, l'avait roulé en boule et rangé quelque part dans un coin de caboche et, même si souvent la boule de chagrin resurgissait, encore vivace, il poursuivait inlassablement sa quête de paysage.

Et l'aurait poursuivie longtemps si le hasard n'avait fait qu'avec son café un serveur lui avait apporté le journal.

Il en avait tourné distraitement les pages, pas plus intéressé que ça par les nouvelles de la région où il bossait, puis l'avait replié et l'avait poussé plus loin sur le zinc. Quelques secondes plus tard, il l'avait rouvert, ça le chiffonnait, le visage de cet homme recherché par la police et qui s'étalait en page quinze. Il avait lu l'article, le fugitif avait envoyé un quidam à la morgue à coups de poing. Les autorités avaient peu d'espoir de mettre la main dessus puisque, comme tous les scélérats de son espèce, il avait dû trouver refuge de l'autre côté de la frontière.

L'article n'en était pas un à proprement parler, faisait partie d'une rubrique intitulée : « C'est arrivé l'an passé à la même date. »

Un étrange malaise teinté de rage l'avait envahi. Trouble nauséeux en forme de visage plongé dans la pénombre d'une cave. Il avait respiré profondément pour recouvrer son calme, puis, sur la page en vis-à-vis de l'article, il avait minutieusement tracé le portrait de son tortionnaire. Avec les années, les répétitions journalières, son trait avait mûri, s'était affiné. Lorsqu'il eut fini, il compara longuement son croquis avec la photo.

Bien sûr, l'homme avait vieilli et Nats n'avait vu son visage que fugacement, mais la ressemblance était troublante.

Trois cafés plus tard, le regard toujours rivé sur le cliché noir et blanc, il s'était dit que peut-être, que sûrement, que sans aucun doute.

Il avait questionné le serveur. Ce dernier, heureux de se distraire un peu, ne s'était pas fait prier pour répondre.

— De l'autre côté de la frontière, il n'y a rien, il avait dit. Rien que le froid et la neige.

Visant la coupure de journal que Nats tenait en main, il s'était ravisé et avait désigné le cliché du doigt.

— Et rien que des types comme lui.

— Des types comme lui ?

— Je n'y suis jamais allé mais, d'après la rumeur et d'après ce que certains clients m'ont confié, il existe un endroit nommé le Terminus. Une zone franche où les malfrats condamnés de ce côté-ci s'installent pour être tranquilles. Ils y sont intouchables, s'ils restent dans les cordes.

— Quel genre de cordes ?

Le serveur avait haussé les épaules pour signaler que ce qu'il s'apprêtait à dire tenait vraisemblablement plus de la légende que de la vérité, puis il avait poursuivi en se penchant sur son interlocuteur :

— Elles appartiennent au grand patron. Il paraît qu'il possède tout, que nul ne connaît son visage et que c'est mieux ainsi parce que sans ça…

— Sans ça ?

— Vous n'êtes plus de ce monde, et, toujours d'après ce que l'on raconte, il n'est pas de pire manière de le quitter.

— Et comment on passe la frontière ?

— Par la route. Si vous n'avez pas de voiture, il faut prendre l'autocar.

Il avait remercié le serveur qui désormais le regardait la moue suspicieuse, avait réglé ses consommations, était allé encaisser son solde et une fois encore avait repris la route, intrigué, direction plein nord.

Au pire, s'il se trompait, il archiverait dans sa galerie-tête quelques paysages supplémentaires et voilà tout.

Dans la poche de son jean reposait intacte une liasse de billets enroulés et maintenus par un élastique.

*

Au fur et à mesure que l'autocar avait progressé, le paysage avait perdu de son relief et s'était chargé de blanc.

Natsume ne s'était jamais aventuré aussi loin dans le Nord, jusqu'à présent ses tribulations l'avaient conduit là où le travail se trouvait aisément des causes d'une économie florissante : côté sud, et jamais il ne s'était senti attiré par le grand froid. Il s'en étonnait, observant derrière les vitres de l'autocar une plaine neigeuse qui semblait se dérouler à l'infini. Un panorama qu'il ne connaissait que d'après les on-dit. Quelquefois, un ouvrier, un cueilleur, une bête de somme, avec lequel il partageait les pauses déjeuner lui racontait ce qu'il savait sur le sujet, pour s'y être rendu et y avoir bossé comme bûcheron. La vie était rude et les plaisirs inexistants et, si ce n'étaient les primes de risque, de froid et quantité d'autres venant gonfler le salaire, aucun ne serait prêt à y retourner.

Il avait plissé des yeux, désormais la neige mangeait le paysage, éclatante de blancheur et de beauté.

À chaque arrêt, distant de plusieurs dizaines de kilomètres, des voyageurs étaient descendus avec de lourds bagages, ne laissant plus que trois sièges occupés, dont celui du chauffeur. Natsume était allé s'asseoir au fond, les sièges y étaient plus espacés, de telle façon qu'il pouvait étendre ses jambes. Le passage de la frontière avait été un détail rapidement réglé. En amont, avec quelques billets tendus par le chauffeur et discrètement récupérés par un douanier. En aval, sans formalité aucune. Durant ce laps de temps, le compagnon de voyage de Nats, assis quelques rangées plus loin, avait baissé les épaules, s'était tassé, tandis qu'entre ses doigts il faisait nerveusement rouler un paquet de cigarettes. La douane passée, l'homme s'était détendu et en avait allumé une pour s'envoyer dans les poumons une large bouffée qu'il avait expirée lentement, comme apaisé. Nats, lui, hésitait sur la destination de son voyage. Il ne restait que deux arrêts : la ville, qui, d'après ce qu'il en savait, comptait une centaine de milliers d'âmes, ou la fin du trajet : une bourgade dont le patronyme annonçait la couleur : Terminus. Il n'était pas certain que tel fût son nom, mais sur son billet l'autre avait été raturé au stylo-bille, et avait été, en capitales et juste en dessous, remplacé par celui-ci. Il avait hésité encore et encore jusqu'à réaliser que la réponse se trouvait désormais dormante, ronflante, quelques rangées de sièges plus loin. Il irait où irait l'homme en fuite : logique.

De temps à autre, Natsume sortait de son sac la coupure de journal pour se plonger dans une longue observation de la photo. Finalement, il la repliait et la rangeait, pas plus avancé.

L'homme était descendu à l'arrêt ville, mais sans prendre ses bagages. Natsume l'avait suivi jusqu'au drugstore dont les murs semblaient faits de congères et, tout comme lui, accoudé au zinc, botte posée sur la rambarde de cuivre qui le ceinturait, il s'était offert une bière tandis que, de l'autre côté de la vitrine, le chauffeur, pistolet de gasoil en main, s'affairait au plein de son véhicule.

Un coup de Klaxon les avait avertis que l'autocar reprenait la route. Ensemble, sans échanger un mot ni un regard, ils étaient sortis et avaient rejoint leurs sièges respectifs.

Au bout du voyage, l'homme était attendu par un pick-up. Il avait balancé ses affaires à l'arrière et grimpé côté passager.

Natsume ne l'avait jamais revu.

Il avait suivi des yeux le véhicule disparaissant dans des gerbes de neige, puis s'était dirigé vers la station-service.

Au-delà des pompes à essence, dans le garage, un homme au gabarit malingre et en salopette bleue disparaissait presque entièrement sous le capot d'une voiture.

— C'est pour du boulot, il avait dit.

— C'est pas ce qui manque, avait répondu une voix fluette sans pour autant que son corps change de position.

— Je vais où pour ça ?

— Au Terminus.

Natsume avait laissé passer quelques instants avant d'avouer son incompréhension.

— Je ne suis pas au Terminus ?

— Si ! Mais non.

Enfin, l'homme avait daigné s'extirper des dessous du capot pour en sortir une gueule couverte de cambouis surmontée d'une chevelure blonde débordant d'une casquette comme celle que Natsume imaginait être en vogue chez les surfeurs, loin là-bas dans le Pacifique Sud.

Son regard était clair, jouait dans les cyans, et ce regard le passait en revue, de la tête aux pieds, des pieds à la tête.

— T'as l'air costaud, et si t'en as pas que l'air, ça devrait pas te poser de problème de dégotter un job vite fait.

Il avait entraîné Natsume par le bras, une fois à l'extérieur il avait pointé du bout de son tournevis une grande bâtisse adossée au garage, et il avait ajouté :

— C'est là, le Terminus.

Natsume l'avait remercié et avait contourné le bâtiment pour se retrouver devant une façade blanche.

Lorsqu'il était entré, la nuit tombait.

Dans la foule qui s'agglutinait au comptoir, il avait cherché le visage de celui qui, sur la coupure de journal, regardait l'objectif fixement, mais il ne l'avait pas trouvé. Aussi, jouant des coudes et des épaules, il s'était frayé un passage et, s'adressant au barman, il avait gueulé pour surmonter le vacarme ambiant :

— C'est pour du boulot, à qui je m'adresse ?

— Le contremaître, au fond de la salle, avait gueulé à son tour le barman.

Il n'avait eu aucun mal à trouver le guichet des offres d'emploi en la personne d'un type assis seul à une table derrière son repas. Il devait avoir dans la cinquantaine, les tempes grisonnantes sur un visage émacié, ses mâchoires saillaient sous sa peau lorsqu'il mâchait, et il mâchait. Son regard était aussi noir que devait l'être le cul du diable.

Tirant une chaise, il s'était assis face à lui et y avait été de son court laïus.

— C'est pour du boulot.

L'homme qui, il l'apprendrait plus tard, se prénommait Maarten lui avait demandé son nom.

— Nats.

— Nats comment ?

— Nats tout court.

— Qu'est-ce que tu sais faire, Nats ?

— À peu près tout ce qu'on me demande de faire si la paye est correcte.

Maarten avait pris le temps de finir son repas, de vider son verre, puis il avait dit :

— Tu vois les deux types là-bas.

— Ceux qui chahutent la fille ou ceux…

— Ceux qui chahutent la fille !

— Je les vois.

— Eh bien, moi, ça m'arrangerait de ne plus les voir. Occupe-t'en et reviens, on discutera.

— Je les sors ensemble ou l'un après l'autre ?

Maarten avait ébauché un semblant de sourire, et encore, de ça, Nats n'était pas sûr tant l'ébauche avait été fugitive. Puis il avait ajouté :

77

— C'est ton affaire. Mais ne fais pas trop le malin, ce ne sont pas des enfants de chœur.

L'une des leçons qu'avait apprises Nats était que causer ne servait à rien si ce n'était à prendre des risques inutiles avant de cogner un type, voire deux. Laisser du temps à la parole consistait à laisser du temps à la réflexion, soit pour simplifier : consistait à ce que l'autre se souvienne que lui aussi savait tabasser son prochain.

Il avait fait ça bien, il avait fait ça proprement, simultanément. Par les cols il avait traîné les corps inanimés pour les abandonner sur le perron et revenir s'asseoir.

Question entretien d'embauche, ça avait été du rapide :

— Tu loges au second. Les horaires sont simples : tu commences dès que le premier client entre et tu finis lorsque le dernier est sorti. Tes repas te sont offerts. Tu es payé chaque fin de semaine.

— Combien ?

Maarten lui avait dit combien. Une semaine représentait un mois de salaire n'importe où ailleurs. Nats n'avait rien laissé paraître de son étonnement et avait demandé :

— Je commence quand ?

— Tu as commencé. Et parce que tu as commencé, tu n'as rien à foutre le cul rivé sur une chaise.

Il s'était levé.

— Encore une chose : si tu veux une fille, tu payes, il n'existe aucun passe-droit pour le personnel. Il y en a douze, tu les comptes, les recomptes. S'il en manque une, tu la trouves. Si tu ne la trouves pas, alors… Si l'une d'entre elles est abîmée, tu trouves le responsable et tu lui fais passer le goût de recommencer. Si tu ne le trouves pas, alors…

— Alors compris.

*

Nats n'aimait pas particulièrement son boulot mais il le faisait avec application. Ses journées s'écoulaient, ordinaires. Sur les coups de midi, il descendait l'escalier du Terminus. Au passage, il cognait aux portes des filles pour les réveiller, puis il allait s'attabler dans le fond de la salle et déjeunait de ce que lui servait l'Irlandais. Les clients arrivaient rarement avant 14 heures, les filles elles, descendaient à 16 heures. Il les comptait et allait s'asseoir dans le coin opposé. De là, il embrassait toute la salle. Il était rare qu'il y ait du grabuge avant 20 heures, il fallait pour ça que certains novices ne soient pas au courant du jeu ou que, la gnôle aidant, d'autres l'aient oublié. Auquel cas, Nats sortait de la pénombre dans laquelle il se tenait et sans prévenir envoyait le maladroit au carrelage et le mettait dehors, soit inconscient soit à coups de botte. Dès que le premier coup tombait, le clic-clac de chargement du canon scié de l'Irlandais se faisait entendre, signalant à tous qu'au Terminus, on n'aidait pas son prochain.

Ce n'était pas Sean qui avait institué le cérémonial de la correction publique, c'était Nats, pensant qu'ainsi ça refroidirait les ardeurs de la plupart à vouloir abîmer les filles. Mais Nats ne faisait pas dans le spectacle, il faisait dévaler l'escalier à l'abîmeur, le corrigeait, mais ne relevait pas ses manches, mais n'invitait pas la pute offensée à porter le dernier coup, sachant de quoi chacune d'elles était capable. Il se contentait de vider les poches de ce qui n'était plus désormais que bouillie de chair et de filer l'argent à l'offensée.

En fin de soirée, qui ressemblait le plus souvent au petit matin, il poussait les ivrognes dehors, accompagnait les clients de l'hôtel au troisième et redescendait les étages pour vérifier que chaque fille était dans ses pénates et seule. Si tel n'était pas le cas, que le client louait une chambre, il le laissait aller en l'aidant un peu, sinon… Sinon le type passait par la fenêtre pour s'aplatir quelques mètres plus bas sur une neige froide et, avec de la chance, molle de la dernière giboulée.

Ensuite il déposait son flingue dans le tiroir-caisse et s'offrait une gnôle que lui servait l'Irlandais, la première qu'il accompagnait d'un café. Les vendredis, il rejoignait Maarten à la table du fond pour lui rendre compte de la semaine et encaisser sa paye.

Nats n'aimait pas particulièrement son boulot mais il se faisait pas mal de fric. Et s'enrichissant sans jamais dépenser, Nats pensait raccrocher et s'offrir une petite ferme située à quelques kilomètres du Terminus, ancienne exploitation agricole semblable à toutes les autres.

Pour le reste, il aviserait.

Un vendredi, alors qu'il en avait parlé à Maarten la semaine précédente. Qu'il avait signé le compromis de vente de la petite ferme. Qu'il avait déposé le flingue dans le tiroir-caisse, vidé son verre de gnôle et bu son café. Qu'il allait rendre compte de la semaine écoulée, un homme était entré pour aller s'asseoir à la table du fond, et, à voix basse, discuter avec Maarten.

C'était la toute première fois qu'il le voyait et c'était bien le même visage, la même gueule que sur la coupure de journal. La ressemblance avec les portraits que toujours il dessinait, nonobstant les années écoulées, était frappante. De ça il était certain, mais pour autant il ne pouvait affirmer de façon absolue qu'il était bien l'homme de la bicoque. Nats flirtait à cet instant précis avec quelque chose comme quatre-vingt-dix pour cent de certitude, mais les dix pour cent restants lui interdisaient de récupérer son arme et de s'en servir.

Les souvenirs sont des puits perdus dans lesquels l'eau jamais ne se fige tout à fait, il songea.

Puis il se détendit. Il avait eu de la patience jusqu'à ce jour, il en aurait encore. Jusqu'à ce que ces foutus quatre-vingt-dix pour cent en fassent cent.

Sur l'invitation de Maarten, il avait rejoint la table du fond et s'était assis à son tour.

Le contremaître les avait présentés l'un à l'autre, brièvement, sans détour, comme à son habitude.

Leur avait précisé qu'ils travailleraient ensemble deux semaines, le temps de passer le flambeau en quelque sorte. Puis, l'homme sorti, prenant Nats à part côté comptoir, Maarten avait demandé :

— Comment tu le sens, ce type ?

— Je le sens pas.

— Tant mieux.

Maarten avait commandé deux verres que l'Irlandais, pressé de se coucher, leur avait servis rapidement.

— Le vieux Tom veut te voir.

Nats connaissait le vieux Tom de nom et de réputation, vaguement l'endroit où il résidait, mais c'était tout.

— Il a du boulot pour toi et, si j'étais toi, je dirais pas non. C'est toujours ça à prendre, et puis le vieux Tom n'est pas n'importe qui.

— C'est-à-dire ?

— C'est-à-dire que c'est un alambiqueur de première et, à ce qu'on raconte, il a des relations. Beaucoup de relations.

— Des relations de quel ordre ?

— Des relations avec le grand patron, avait dit Maarten en désignant vaguement la pièce où se trouvait le second téléphone du Terminus. Mais aussi bien, c'est peut-être qu'une légende, il avait précisé.

— Une de plus, avait dit Nats.

Il avait promis qu'il passerait voir le vieux Tom. Il avait vidé son verre, jeté un dernier coup d'œil à la chaise sur laquelle s'était assis son remplaçant : il y avait bien quelque chose qui lui rappelait autre chose, mais, mais rien de moins certain, mais rien de moins sûr. Mais…

Il étouffa un « Bordel » entre ses mâchoires.

Remontant se coucher, il avait croisé Leïla ivre morte, avachie sur les marches de l'escalier, corsage baissé. Il avait recouvert ses seins ronds comme des pommes, blancs, durs comme deux icebergs. Il l'avait prise dans ses bras, soulevée et portée jusqu'à sa chambre, jusqu'à son lit.

Lorsqu'elle avait dénoué les bras d'autour de son cou, elle avait ouvert des yeux coulants de maquillage et dit :

— Je t'aime, Nats, tu sais ça ?

Leïla aimait tout le monde dès lors qu'elle était saoule.

Il avait répondu :

— Je sais, Leïla.

Il l'avait déshabillée et bordée, et sur son front il avait déposé un baiser.

En sortant de la chambre, en refermant la porte, une pensée lui était grimpée au cerveau : non, décidément, il le sentait pas, le nouveau.

*

Le Terminus était silencieux, Nats pour une fois s'était levé tôt avec dans la tête une idée, ou plutôt une envie en forme de besoin, celle d'acquérir un véhicule. La ferme dans laquelle il emménagerait en fin de semaine était éloignée de pas mal de kilomètres et il lui faudrait charrier quantité de choses, à commencer par le matériel nécessaire à la rénovation. Les lieux n'étaient plus entretenus depuis longtemps, un coup de neuf s'imposait.

Il avait prélevé sur ses économies la somme qu'il estimait adéquate, s'était vêtu, était sorti et, sous le rideau de flocons de neige, il avait pris la direction du garage.

— J'ai bien un pick-up d'occasion. Le moteur tourne rond mais il n'est pas de la toute première jeunesse. Va voir, il est par là-bas, dans le fond, avait dit Twigs.

Nats était allé voir. Les formes du véhicule évoquaient un passé lointain, et si tant est que ce soit là un défaut, c'était le seul. Pour le reste, et d'après ce qu'il pouvait en juger, c'était du solide. Il s'était installé au volant, l'habitacle lui plaisait parce que sans gadgets : pas de vitesses au plancher mais au volant, pas de tableau de bord plastifié mais de la tôle : pas de clé mais une tirette pour activer le démarreur. Il l'avait actionnée. Le moteur n'avait pas hésité et s'était lancé.

Il avait rejoint Twigs qui, sur sa chaise côté poêle, sirotait un verre de gnôle et avait discuté le prix. Une fois tombé d'accord, il l'avait réglé et lui avait demandé de faire le plein.

Quelques minutes plus tard, il roulait en direction de la ferme du vieux Tom, avec lequel il avait rendez-vous. Il n'y voyait pas grand-chose tant la neige tombait serrée. Il avait enclenché la manette du chauffage et constaté que celui-ci fonctionnait. Il avait poussé le bouton de la radio, mais aucune onde ne semblait vouloir percer le mauvais temps. La cibi, elle, était hors-service.

Plus qu'une semaine et c'en était fini du Terminus. Il regretterait Leïla et ses sourires, sa tendresse excessive lorsqu'elle avait trop bu. Question regrets, ils se résumeraient à ça.

Quant à Sean…

Il avait préféré ne pas penser à Sean, pas pour l'instant – ce soir et son lot d'ennuis viendraient bien assez tôt –, et se concentrer sur le bas-côté de la route où, normalement, et s'il était bien sur la route, devait apparaître le toit d'une ferme d'ici peu.

La ferme était bien là. D'un coup de volant il avait fait bifurquer le pick-up qu'il avait arrêté quelques centaines de mètres plus bas dans la cour du vieux Tom. Sur les marches, il avait pensé qu'il ne savait pas pourquoi il était là et, comme souvent, avait conclu sa réflexion par un : « Je verrai bien… »

— Pourquoi moi ? il avait demandé après que le vieux Tom eut rempli les verres et expliqué en quoi consistait le boulot qu'il lui proposait.

— À cause de ta réputation. Tout le monde ici sait que tu cognes dur, et longtemps s'il le faut. Il ne viendrait pas à l'esprit d'un gars, sauf s'il est complètement dingue, de braquer ma gnôle si c'est toi qui la transportes. C'est déjà arrivé, disons que je préfère limiter les pertes. Alors, qu'est-ce que tu en penses ? Et puis, si tu acceptes, je t'aiderai à t'installer, elle n'est pas vraiment en état, ta ferme, et tu vas avoir besoin d'un coup de main.

Malgré lui, Nats avait tourné son regard sur le handicap du vieil homme, se demandant comment, dans cet état, il pourrait l'aider d'une manière ou d'une autre.

— Ne t'arrête pas aux détails, et ce que tu vois là, ou plutôt ce que tu n'y vois pas, est un détail !

Et disant ça il souriait, et son regard était clair.

Alors, Nats avait accepté le job et serré la main qui lui était tendue.

— Marché conclu !

S'étaient ensuivis la visite de l'installation et un cours magistral sur le fonctionnement d'un alambic. Le vieux Tom lui avait expliqué chaque mécanisme, chaque réaction chimique, chacune des phases qui faisait qu'à l'autre bout du robinet, plus loin dans le hangar, tombait au goutte à goutte dans une gigantesque cuve ce que Nats transporterait bientôt par centaines de litres.

— C'est curieux, la vie, avait dit le vieil homme alors que, le raccompagnant, il ouvrait la porte d'entrée. C'est curieux, il avait répété en désignant le pick-up du doigt.

— Qu'est-ce qui est curieux ?

— Les objets sont curieux, ils refont surface au moment où l'on s'y attend le moins.

— Un peu comme les gens, avait répliqué Nats.

— Ça je ne sais pas, mais si tu fouilles dans la boîte à gants de cet objet-là, tu y trouveras une cassette. Je l'écoutais quand je roulais encore sur quatre pneus plutôt que sur deux.

Remontant dans le pick-up, Nats avait trouvé et encastré la cassette dans le lecteur, mais la bande magnétique s'était rompue net.

*

Une semaine que le Terminus était sous tension et Maarten redoutait la semaine à venir. La dernière pour Nats, c'était certain, et la dernière avant que Sean assume seul les fonctions de garde-putes.

Ces deux-là étaient comme une paire de coqs partageant la même basse-cour, se toisant chaque fois qu'ils se croisaient, se jaugeant du regard, et ni l'un ni l'autre ne voulait lâcher prise. La clientèle avait bien évidemment repéré le manège et, sous les tables, les billets transitaient, remplissant le pot de l'Irlandais devenu bookmaker pour l'occasion. Maarten avait laissé faire, d'une part parce qu'il ne voyait pas comment l'empêcher et d'autre part parce que la salle ne débondait jamais. Aucun ne voulait louper l'affrontement, et donc, tous étaient là chaque soir. En conséquence, le chiffre d'affaires grimpait en flèche, le pot débordait, et sur le pot comme sur le reste, Maarten prélevait dix pour cent. Encore que « prélever » n'était pas le mot juste, vu que les dix pour cent du pot, il les avait misés sur Nats.

— Il est plus petit, lui avait fait remarquer l'Irlandais.

— Je sais.

— Il a moins d'expérience et il doit peser trente kilos de moins.

— La taille, l'expérience, le poids, tout ça c'est des conneries. Tout est une question de style, et du style, Sean en a trop !

L'Irlandais s'était éloigné sans comprendre.

Maarten l'avait vu à l'œuvre. Vrai que Sean savait cogner, et cogner fort, mais sa façon de procéder tenait de la mise en scène. Il privilégiait les effets, faisait durer le combat parce qu'il se savait observé, sa sauvagerie se faisait donc élégante pour recueillir les applaudissements du public devant lequel, au final, il se courbait, pied posé sur le torse du vaincu. Et surtout, son regard, lorsqu'il se battait, était dépourvu de tout autre sentiment que celui du plaisir. Nats, lui, ne possédait aucun style et on ne savait jamais à l'avance de quelle manière il allait s'y prendre. Cela dépendait de la morphologie de son adversaire, de ses forces, de son expérience, de sa pratique. Pendant quelques secondes, il encaissait les coups, deux, trois, le temps de l'étude, celui de trouver l'ouverture. Ensuite, tout allait très vite, ses frappes s'enchaînaient, rapides, précises, au grand regret des spectateurs qui ne comprenaient pas qu'un corps puisse s'effondrer après si peu d'impacts. Durant les passes, son regard s'enflammait d'une colère noire, d'une colère froide dénuée de toute exaltation, et cette colère disparaissait tout à fait dès que son adversaire était à terre. Qu'un seul applaudisse, et la voilà qui rappliquait de nouveau.

Maarten avait remarqué une autre différence sur laquelle il comptait. Nats, lorsqu'il encaissait un coup, ne marquait pas de temps d'arrêt, même pas celui, humain, de porter le revers de sa main au visage pour essuyer le sang qui s'écoulait d'une arcade sourcilière ou d'une lèvre fendue.

Le Terminus était donc sous tension et lorsque Sean croisait Nats et inversement, lorsque l'un plantait ses yeux dans ceux de l'autre et inversement, la clientèle retenait son souffle, appâtée par le spectacle à venir et le gain facile.

Nats, lui, n'observait pas Sean uniquement dans ces moments-là mais dès qu'il le pouvait, cherchant inlassablement dans ses traits, dans ses gestes, dans sa voix, dans son comportement ou dans ses manières quelque chose, toujours la même chose, n'importe quoi qui vienne définitivement ranger les dix pour cent aux côtés des quatre-vingt-dix.

Indépendamment de cette infructueuse recherche en certitude, Nats n'aimait pas Sean.

Le Terminus était sous tension, mais ce que le Terminus ignorait, c'est que la scène était déjà jouée, et que Sean, accrochant le regard de Nats, cherchait une revanche, spectaculaire si possible.

*

— Je t'aime, Nats.

— Et moi je t'adore, Leïla, mais arrête de boire pour ce soir, s'il te plaît.

— O.K. !

Leïla avait balancé son verre qui était allé exploser en autant de morceaux de l'autre côté du comptoir. L'Irlandais avait évité le projectile de justesse, ne s'était pas précipité pour passer le balai. Ce soir, il y aurait d'autres verres qui voleraient, suffisamment pour que, uniformément, ils se fassent tapis craquant sous ses pieds godassés.

Le regard de Leïla s'était posé sur la rigolarde assemblée, elle avait hoqueté, posé la main sur sa bouche, puis cette main avait désigné ladite assemblée d'un index mouvant et elle avait gueulé :

— Pourquoi tu leur dis pas la vérité, à tous ces fils de putes, pourquoi tu leur dis pas qu'ils foutent leur argent en l'air vu que t'as déjà gagné.

Le Terminus était sous tension, et le Terminus comme un seul homme s'était tu.

Nats avait essayé de la retenir mais elle lui avait échappé, aussi glissante qu'une anguille et pas plus habillée. Déjà elle grimpait sur une table et haranguait la foule qui, attentive, buvait ses paroles comme s'il s'était agi d'une gnôle dernier cru.

— Moi, Leïla, meilleure suceuse du Terminus.

La foule avait acquiescé d'un grondement admiratif.

— Et meilleur enculeuse, aussi.

Seul Twigs avait acquiescé.

— Je certifie sur l'honneur, celui-là même que j'ai perdu depuis belle lurette.

La foule avait ri tandis que Nats écartait sans ménagement les éléments du cercle qui s'était refermé autour d'elle et de sa chaire de fortune.

— Que le grand connard là-bas…

D'un index tout aussi mouvant que précédemment, elle avait désigné Sean qui revenait d'avoir sorti un importun.

Nats jouait des épaules, des coudes, le faisait avec violence. L'atteindre et la faire taire, vite, mais :

— ... S'est déjà fait dérouiller par mon amoureux qui est... qui est...

Elle avait tourné sur elle-même, avait failli chavirer, avait répété :

— Qui est...

Jusqu'à ce que Nats arrive enfin à sa portée, tombe pile, c'est-à-dire le crâne pile sous son doigt.

— Ici !

Finalement elle avait chaviré dans ses bras et, une fois là, elle s'était lovée. Quelques instants plus tard, elle avait ouvert un œil qu'elle avait refermé aussitôt, et dit :

— Je crois que je viens de faire une grosse connerie.

— Une très grosse.

— Tu m'en veux ?

— Je te dirai ça demain. D'accord ?

— D'accord.

Et elle s'était endormie.

Plus tard, il la bordait.

Plus tard, il s'était regardé dans la glace d'une salle de bains minuscule, avait hésité entre rajuster son col de chemise ou l'ouvrir.

Un grondement sourd se faisait entendre un étage plus bas.

Il avait fait sauter chaque bouton pour être plus à son aise.

La salle grondait de colère, gueulait qu'elle s'était fait avoir, flouer, menaçait de tout casser, et ni la présence de Sean ni celle de Maarten ne parvenaient à la calmer. Pas davantage le fusil à canon scié que l'Irlandais, debout sur le comptoir, pointait sur le premier rang, et encore moins la promesse que les paris seraient remboursés. La salle exigeait son dû de violence et de chair tandis que Nats descendait les dernières marches de l'escalier du Terminus.

Il ne regrettait rien, n'était pas fier pour autant. Il avait fait son boulot de garde-putes, rien d'autre. Il aurait réagi de la même manière pour chacune d'entre elles, il était payé pour ça, que ce soit Leïla ou une autre ne changeait rien à la donne. Il était chargé d'apprendre le boulot à Sean, il lui avait appris : on ne touche pas aux filles, qui que l'on soit.

Elle avait dit : « Toi je t'aime pas ! » alors que Sean la reconduisait dans sa chambre, Nats sur les talons.

La gifle avait résonné et Leïla s'était retrouvée sur le cul après que son corps eut effectué un tour sur lui-même.

Sean ne s'attendait pas à une réponse et le couloir était trop étroit pour qu'il soit à son aise. Nats ne l'avait pas frappé au visage, histoire de laisser l'incident entre eux, et pour le reste il avait pensé, comme chaque fois qu'il se battait, à la nuit passée dans la bicoque, et il avait cogné fort.

Ce soir serait différent.

Maarten l'avait cueilli sur la dernière marche avec sur la face un sourire satisfait, tandis que toujours la foule grondait.

Il l'avait ignoré pour relever ses manches et entrer dans la salle qui soudain s'était faite silencieuse, et qui soudain s'était faite travée pour aussitôt se refermer derrière lui. Puis elle s'était faite ring, ourlant les deux hommes qui, face à face, se jaugeaient.

Et la foule avait applaudi en guise de gong d'ouverture du combat.

Et Sean y était allé de sa révérence.

Il n'aurait pas dû, le regard de Nats s'était déjà voilé de noir, et Nats ne connaissait aucune règle si ce n'était celle d'en finir au plus vite.

Le temps, celui-là même qui passe, avait cessé de passer et, du temps, se relevant de sa courbette, Sean en avait gaspillé. Encore courbé, il encaissa les premiers coups, secs, durs, pluie de poings aguerris au combat, avalanche, déluge. Conscient de son avance, Nats la mettait à profit.

Pour la suite, il s'était collé au plus près, privant son adversaire du moindre élan, lui interdisant le recul nécessaire pour armer ses frappes, lui refusant toute amplitude.

Il n'en était pas sorti indemne, non, mais il avait été le dernier debout. Les quelques secondes nécessaires pour que la salle rugisse à la victoire.

Et le pot s'était vidé, payant les gains. Et la salle s'était vidée des deux tiers des parieurs perdants.

— C'est l'absence de style, avait dit Maarten à l'Irlandais. Tout est dans l'absence de style, il avait répété en frappant du poing le comptoir.

L'Irlandais avait acquiescé, visé les deux corps étendus sur le carrelage et demandé :

— Et maintenant, qui garde les filles ?

Maarten avait prélevé sur ses gains une moitié de billets qu'il avait fait glisser sur le comptoir du côté Irlandais et avait demandé :

— Ça va comme ça ?

— Ça va !

— L'absence de style, tout est là !

— Tout est là, avait répété l'Irlandais, cependant qu'une fille s'agenouillait pour, entre ses cuisses, poser la tête de Nats.

Quelques minutes plus tard, un type s'était plaint que la pute à genoux, celle là-bas, refusait de monter.

L'Irlandais avait visé le tableau, avait posé la main sur son fusil, dit :

— Tu préfères en choisir une autre ou goûter à ça ?

— Je crois que je vais en choisir une autre.

— Voilà !

L'absence de style...

*

Il avait ouvert un œil, puis l'autre. Les murs semblaient être élastiques et se distordre. Il était allongé, encore habillé, au chaud sous sa couette.

94

Il avait voulu s'asseoir et avait pris conscience que son corps réagissait peu, qu'il lui faisait mal.

Elle avait penché son mince visage sur lui, avait souri et dit :

— Bienvenue au paradis !

Les yeux de Leïla avaient ça de particulier qu'ils n'étaient pas marron mais mordorés, et qu'autour de leurs pupilles, tels des satellites, naviguaient des éclats de la même couleur. Jamais au même endroit, aurait juré Nats.

Sur son front, elle avait posé une serviette humide et s'était assise sur le lit.

— Tu n'es vraiment pas beau à voir, on dirait bien que tu es passé sous une locomotive.

Sa langue collait à son palais, ses joues étaient à ce point enflées à l'intérieur qu'il avait du mal à déverrouiller ses mâchoires. Il s'y était repris à plusieurs fois avant de pouvoir articuler :

— À qui la faute ?

Leïla avait ça de particulier qu'elle souriait de la vie, de ses emmerdes, qu'elle faisait en sorte que rien ne soit grave, ou du moins, elle faisait en sorte que rien ne paraisse grave.

— T'es pas beau à voir, mais lui c'est pire. C'est pas une locomotive qui lui a roulé dessus, mais un régiment de trains et tous les wagons allant avec. Même qu'à le voir, je parierais que tous les wagons étaient gavés de ferraille jusqu'à la gueule.

Sa vision s'était stabilisée et, se stabilisant, il avait remarqué qu'elle avait une ecchymose sur la pommette gauche, que ladite pommette se parait de bleu, de violet, qu'elle se bordait de jaune par endroits. Ses sourcils s'étaient faits interrogatifs.

— J'ai voulu te retirer ta chemise. Et toi, tu n'as pas voulu !

— Désolé.

— Faut pas.

Là-dessus, elle s'était levée, avait fourragé dans le fond de la chambre, dans son sac peut-être, puis elle était revenue s'asseoir sur le lit pour lui présenter entre ses mains tendues quantité de billets en vrac et froissés.

— Regarde ! Bientôt je change d'air.

Nats avait tenté de sourire sans toutefois y parvenir.

— Tu pars quand ?

— Dès que j'aurai gagné le double de ça.

— Ne compte plus sur moi.

— Dommage, elle avait répondu en riant.

Et il s'était rendormi.

*

Trois jours avaient passé. Nats se levait, marchait, comptait sous ses doigts le nombre de côtes fracturées. « Sept », il disait. « Seulement six ! » répondait Leïla. Il lui manquait trois molaires, là-dessus ils étaient d'accord.

La veille, Maarten était passé le voir. L'échange avait été bref, presque solennel.

— Le téléphone a sonné hier.

— Et ?

— Tu te frottes à Sean une fois encore et l'on retrouvera ton cadavre à la belle saison, à moitié bouffé par les ours et par les asticots. Et si tu ne suis pas les ordres parce que tu ne tiens pas plus que ça à ta peau, sache que Leïla subira le même sort.

— Et inversement, je suppose ?

Maarten avait souri.

— C'est ce que j'aime chez toi, Nats, tu comprends vite. Sean a reçu le même avertissement. S'il l'ignore, il perdra la vie, sa femme et ses gosses aussi.

Avant de quitter la chambre, Maarten s'était retourné pour préciser :

— Ce n'est pas moi qui décide, tu le sais.

Ça sonnait comme une excuse et Maarten ne s'excusait jamais.

Quelques jours plus tard, Nats avait fait ses valises. Dans le tiroir de la commode, il avait découvert une pile de billets froissés, il avait trouvé l'intention touchante, mais il les avait fourrés dans une enveloppe et était allé la glisser sous la porte de Leïla. Sur l'enveloppe, il avait marqué : « T'en as plus besoin que moi. »

Il l'aurait bien serrée dans ses bras, simplement pour lui dire merci pour tout, mais de l'autre côté de la porte résonnaient des râles sans équivoque : Leïla était occupée.

Il avait descendu les deux étages, valises pendant au bout des bras, croisant les filles qui lui souriaient, croisant des hommes qui préféraient regarder ailleurs.

L'Irlandais l'avait aperçu et l'avait rejoint avant qu'il ne s'engouffre dans l'un des trois tambours de la porte tournante, pour lui taper sur l'épaule, lui prendre ses deux valises et dire :

— J'ai perdu tout mon pognon, mais c'était un beau combat. Le plus beau que j'aie jamais vu de toute ma chienne de vie. Après vous, Monsieur.

Il avait porté ses valises jusqu'au vieux pick-up et conclu par un :

— T'es le bienvenu. Quand tu veux.

Nats l'avait remercié, avait ouvert la portière et s'était installé derrière le volant.

Une fois là, il avait lancé le moteur qui sans hésiter avait rugi et ronronné tout à son aise, puis il avait baissé la vitre saturée de givre pour regarder la façade blanche du Terminus.

Au premier étage, une fenêtre s'était ouverte, la troisième, encadrant Leïla qui se penchait et qui, sans le prononcer, avait dessiné de ses lèvres un « Je t'aime ».

Elle n'était pas saoule, il était trop tôt pour ça.

De la même manière il répondit : « Rentre, tu vas attraper froid », mais déjà deux mains l'attiraient à l'intérieur et faisaient coulisser la fenêtre.

Il avait enclenché une vitesse, débrayé et appuyé sur l'accélérateur avec l'assurance que quelque chose venait de se clore à jamais.

*

Tout comme Nats, Sean était arrivé en autocar. Mais lui était arrivé cinq années plus tôt et il avait baissé la tête en passant la frontière. Mais lui était descendu à l'arrêt précédent, celui de la ville, pour y faire une halte qu'il avait imaginée plus longue. Il y avait fait quelques boulots : videur ici, porte-flingue là, homme de main toujours. Des occupations qui demandaient un minimum de morale et un maximum de muscles.

S'il ne s'était pas éternisé, de l'avis de Sean, cela tenait exclusivement à la faible constitution des citadins. Il en avait corrigé un qui ne s'en était pas remis, le citadin avait rejoint le cimetière sans même passer par la case hôpital. Recherché par la police, son portrait s'étalant dans les journaux, il avait été contraint de fuir. Mais de toute façon, l'existence en ville ne convenait pas à Sean : il exécrait le bruit permanent, le ciel bas et gris de pollution, les trottoirs couverts de neige salie comme autant d'excréments de voitures. L'univers de son enfance, même si la ville dans laquelle il avait grandi était de moindres dimensions.

Il avait donc plié bagage pour aller plus au nord et travailler dans l'une des colonies de bûcherons peuplant les grandes forêts. La vie et le travail y étaient rudes, mais la constitution physique de Sean avait fait qu'il résistait mieux qu'un autre. Et la constitution physique des autres avait fait qu'ils résistaient mieux aux coups de Sean. Rapidement, il avait été remarqué pour ses qualités de meneur d'hommes et catapulté à la tête d'une équipe.

La fille de l'une des fermes où il allait chaque semaine se ravitailler en gnôle pour sa consommation personnelle et celle des hommes lui avait fait les yeux doux. Elle n'était pas particulièrement jolie, elle était pour tout dire quelconque, mais ce quelconque apportait en dot une ferme et les terres la bordant. C'était plus qu'il n'en fallait pour que Sean lui trouve un charme certain et l'épouse.

Il avait espéré que la ferme subviendrait à ses besoins, sauf qu'il ne possédait aucune expérience en la matière et avait dû, pour vivre et faire vivre sa famille s'agrandissant d'un gosse puis de deux, après avoir rasé et vendu le peu de bois qu'il possédait, retourner au bûcheronnage, dirigeant une équipe ici, puis là, pour le compte des autres.

Il aimait cette vie itinérante et il ne lui était jamais venu à l'idée de faire machine arrière, de travailler autrement qu'à l'air libre, autrement que les pieds plantés sur la terre ferme. Il avait accepté sa condition, accepté que ses poings ne lui rapportent désormais plus que le plaisir de s'en servir et non un salaire. Les occasions ne manquaient pas. Et, lorsqu'elles manquaient, sa femme, ses enfants en faisaient les frais.

Tentant de s'en éloigner, il reproduisait, sans en avoir conscience, le schéma de son enfance. Le comportement du paternel et de la fratrie dans laquelle il avait grandi. Pour obtenir l'attention du chef de famille, il fallait écraser chacun des frères. Il était le cadet et aucun des autres n'aurait laissé sa place au plus petit. Alors se battre. Alors la prendre de force. Alors ne pas pleurer, même si roué de coups. Alors ruminer, freiner son impatience en attendant que les années passent, en attendant que la vie développe ce corps d'enfant, d'adolescent, et cogner de plus en plus dur. Encaisser aussi, parce que le dernier debout affrontait le vieux. C'était sa fierté, au paternel, que ses gosses sachent que la vie était une chienne dépourvue de tendresse et de compassion. Il se glorifiait d'agir ainsi pour que ses fils soient prêts à affronter l'avenir qui, à ce qu'il prétendait, serait pire que le quotidien.

De temps à autre, Sean partait pour une quinzaine de jours en compagnie d'autres bûcherons. Assis, alignés à l'arrière des pick-up, les hommes faisaient tourner les bouteilles de gnôle le temps du voyage. Elles tournaient lorsqu'ils s'installaient dans les chalets loin dans les bois, tournaient toute la soirée après les journées de travail harassantes, et tournaient encore tard dans la nuit tandis que, les yeux étincelants d'ivresse et de perversité, ils évoquaient les plaisirs du Terminus, les courbes des filles et les spécialités de chacune.

Sean ne se mêlait jamais aux conversations, pas davantage aux groupes qui, grassement rigolards, s'agglutinaient autour de l'âtre crépitant et en remettaient une couche sur la gent féminine dans tous ses états : femmes, maîtresses, putains. Toutes y passaient et chacun y allait de détails salaces, vécus ou imaginaires.

Du Terminus, Sean ne connaissait que la façade blanche. Comme beaucoup, il était passé devant et était au fait de la réputation du bordel, mais comme peu, il n'y était jamais entré. Sean ne recherchait

aucune compagnie et ne voyait pas pour quelle raison au juste il aurait payé sa gnôle au triple de sa
valeur simplement parce qu'elle était servie dans un
verre propre posé sur le zinc rutilant d'un comptoir.

Sean méprisait cette habitude qu'avaient les
hommes de se réunir et de parler plus qu'il n'était
essentiel. Les seuls rapports un tant soit peu pro-
longés qu'il entretenait avec ses congénères étaient
ceux, virils, du combat.

De ce côté-là, sa notoriété allait grandissante.

Non, Sean ne désirait rien d'autre que cette vie-là
et oublier qu'un soir il n'avait plus retenu ses coups
et que le paternel avait ravalé définitivement sa
gloire et sa fierté.

Il avait vécu ainsi jusqu'au jour où Maarten était
descendu de son pick-up tandis que lui avait quitté
ses gants et s'intéressait, accroupi, au niveau d'huile
d'une tronçonneuse. De l'huile, il en manquait, il en
rajoutait.

— J'ai du boulot pour toi.

— Quel genre de boulot ? avait demandé Sean
sans se retourner.

— Un remplacement à long terme.

— Et il consiste en quoi, ce remplacement ?

— À cogner fort.

— Question cogne, j'ai tout ce qu'il me faut ici.

— Je t'en promets davantage.

Sean s'était redressé, avait fait volte-face pour
toiser son interlocuteur, jugeant de son sérieux.
Le bleu de son regard était désormais chargé d'un

malsain « peut-être » qui, si le salaire convenait, se transformerait en un « oui » définitif.

Maarten avait annoncé le salaire. Alors Sean avait jeté un dernier coup d'œil derrière lui, et s'était fendu d'un sibyllin :

— O.K.

Et il avait ouvert la marche, oubliant ses gants et oubliant de revisser le bouchon du réservoir d'huile de la tronçonneuse.

*

Deux semaines que nul n'avait croisé Maarten, qu'il ne s'était pas montré au Terminus. Ce qui n'était pas dans ses habitudes et ce qui entraînait la grogne des filles, du personnel, et de pas mal de bûcherons lésés de leur paye.

Il n'était pas davantage chez lui qu'il était ailleurs, du contremaître il ne restait aucune trace.

La neige s'abattait, redoublait d'intensité, des stalactites s'alignaient serrées en bordure des toits et, avec ce temps, pas moyen de partir à sa recherche. La bonne excuse parce que, à dire vrai, nul ne se sentait suffisamment concerné pour défier les éléments et partir aux trousses d'un type probablement mort et congelé à l'heure qu'il était.

Les jours passant, la plèbe râlait et commençait à râler fort, l'Irlandais ne quittait plus son fusil à canon scié, les filles menaçaient de cesser leurs activités et les hommes exigeaient que le Terminus leur fasse crédit le temps de sortir de l'impasse.

Chacun tournait son regard vers Sean, regard chargé de soupçon, mais regard prometteur d'oubli si toutefois il trouvait une solution, et vite. Sauf que ce n'était pas le rôle d'un garde-putes de décider de quoi que ce soit, mais bien celui du contremaître qui s'était volatilisé, donc.

La sonnerie du téléphone avait retenti, l'autre téléphone, alors que les hommes se regroupaient dans un coin de la salle et discutaient à propos de la très probable dégradation du matériel à venir, ainsi que du non moins probable effacement du personnel si celui-ci s'y opposait. Unis, ils pouvaient faire la loi.

Sean avait hésité longtemps, sans contremaître, qui devait répondre ?

Finalement, il était allé décrocher.

Quelques minutes plus tard, il réapparaissait les bras chargés d'oseille prélevée dans le coffre-fort dont il possédait désormais la combinaison. Il avait aligné les billets sur la table réservée au contremaître, puis il avait tiré une chaise et s'était attablé.

Nul n'avait discuté sa promotion, tous avaient reçu leur paye sourire aux lèvres et vaqué à leurs occupations de comptoir : fallait fêter ça !

Sean n'avait pas encaissé ses salaires hebdomadaires, deux de retard, mais il avait prélevé dix pour cent sur la distribution générale, ce qui lui revenait en tant que contremaître et ce qui, tous comptes faits et refaits, faisait un paquet de pognon. Avec, et comme la tradition l'exigeait au premier jour de promotion, il avait offert une tournée générale. Le reste de l'argent, il l'avait empoché. À ce train-là, il pourrait s'offrir un pick-up, l'un de ces engins énormes et luxueux qu'il avait vus rouler jadis dans les rues de la ville. Bientôt…

*

La disparition de Maarten n'avait en rien affecté le fonctionnement du Terminus. Leur journée de travail achevée, les clients continuaient à s'y presser, ourlant le zinc de leurs rires gras, de leurs mains qui claquaient sur les fesses des filles, des bruits de verres entrechoqués, des grondements de conversations qui souvent se terminaient à coups de poing.

Malgré ses nouvelles fonctions de contremaître, Sean continuait à surveiller la salle et à garder les putes. Il cumulait les deux boulots avec l'aisance réservée à ceux qui ne comptent pas les heures, aux hommes désintéressés de la vie de famille car n'y trouvant aucune saveur.

À la suite du combat qu'il avait livré à Nats et perdu, quelques-uns avaient tenté leur chance, mais Sean avait appris à ne plus laisser approcher son adversaire de trop près. Il se déplaçait rapidement, tournant, virant, dansant, frappant, sous les applaudissements d'une salle conquise par son style.

Nats passait une fois par semaine sur les coups de midi pour réapprovisionner le Terminus en gnôle et mangeait sur place. Déjeunant, il observait le nouveau contremaître, fouillant ses traits, cherchant toujours et encore à ramener ses dix pour cent d'incertitude au niveau du zéro absolu.

Comme il l'avait promis, le vieux Tom l'avait aidé à retaper la ferme, lui faisant parvenir le matériel nécessaire, les matériaux, lui envoyant de la main-d'œuvre et, peu à peu, l'endroit était devenu confortable. Nats avait abordé la question du dédommagement. Le vieux Tom et lui étaient tombés d'accord sur une quantité de livraison de gnôle sur laquelle Nats ne percevrait aucun pourcentage. Mais Nats était parfaitement conscient que le deal était en sa faveur. Alors il ravitaillait le vieil homme, lui faisait quelquefois la cuisine et partageait son repas en discutant d'un temps où les motoneiges n'étaient pas encore, et de toutes choses passées et désormais révolues. Un temps où les loups peuplaient la plaine en maîtres absolus. Il y avait alors trois meutes d'une quinzaine d'individus, jamais plus, mais jamais moins. Elles se partageaient un territoire gigantesque, jusqu'à ce que les hommes décident de s'en faire des manteaux, laissant sur la neige rouge de sang les carcasses dépecées. Jusqu'à ce qu'il n'en reste plus un seul et qu'ils découvrent dans le synthétique des vertus jusque-là insoupçonnées. Dégustant sa gnôle, le vieux Tom racontait ce temps-là, et dans ses yeux il y avait comme la lueur d'un regret.

Si la soirée s'éternisait, si elle s'étendait jusqu'à devenir matin, Nats dormait sur le canapé du salon en songeant aux loups. Quelquefois, il lui semblait entendre un hurlement, très loin. Mais aussi bien cela pouvait être le vent s'engouffrant dans les bois, jouant à se glisser entre les branches couvertes de gel ou dans la béance d'un tronc mort. Cela pouvait être n'importe quoi, sauf qu'un matin, alors qu'il revenait du supermarché, raquettes aux pieds, qu'il approchait de la ferme du vieux Tom, il avait distinctement vu une forme blanche s'enfuir à son approche, trop massive pour être celle d'un renard. Mademoiselle avait grogné, s'était couché en couinant, un comportement que jamais il n'avait eu. Nats avait déposé son sac à dos et grimpé le bout de colline enneigée pour constater qu'effectivement la travée qu'avait laissée l'animal en s'enfuyant ne correspondait aucunement aux dimensions du poitrail d'un renard. Il l'avait suivi, marchant dedans, cherchant une empreinte nette jusqu'à la trouver là où la neige était tassée. Il s'était penché et, non, ce n'était pas un renard.

Il avait raconté sa furtive rencontre au vieux Tom. Le vieil homme s'était contenté de répondre : « Il arrive que l'un d'eux s'égare du côté des hommes. Mais bien vite il comprend le danger et repart plus au nord. Et s'il ne comprend pas, quantité d'imbéciles se chargent de l'y aider. »

Depuis, Nats avait pris l'habitude de laisser les restes de ses repas à quelques mètres de sa porte et chaque nuit l'écuelle se vidait. Jamais il n'avait revu l'animal, de fait, il n'était pas certain que ce soit lui ou une autre bestiole qui profitait des restes.

Mais il était là, quelque part, et hurlait sa faim, et le tapage était devenu trop distinct pour que le vent puisse être encore tenu pour responsable. Alors les hommes avaient décroché leurs fusils des râteliers et organisé des battues. Et les hommes avaient cherché, avaient couru la plaine et les bois en tous sens, armes en bandoulière, jumelles en main.

Mais fallait croire que ce loup-là était plus malin qu'un autre ou les hommes beaucoup moins qu'ils ne l'imaginaient, parce que nul n'avait eu l'occasion de le mettre dans sa ligne de mire, ni même de l'apercevoir l'espace d'une microseconde. Quelques-uns se vantaient du contraire tard le soir au Terminus, d'autres faisaient semblant de les croire, mais à la vérité chacun mentait et chacun le savait. Puis, parce que les hommes sont décidément incapables de reconnaître leur impuissance, ou de reconnaître qu'il puisse exister un ordre qui leur échappe, ils avaient fait du loup un fantôme. Sorte d'esprit chargé des trois meutes passées sillonnant les plaines enneigées pour une raison inexpliquée. L'affaire était réglée, et puis de toute manière, fallait reconnaître qu'il était plus confortable de boire un verre au chaud derrière un zinc que de courir après un fantôme.

Affaire plus que réglée, donc.

Mais en réalité, ce loup-là n'était pas plus malin ni plus habile que ses congénères et il n'appartenait pas davantage à la race des fantômes. Il était trop âgé, trop faible pour chasser seul. Sans la protection de la meute, il était en sursis, il ne dura qu'un temps.

Nats découvrit sa dépouille lors de l'une de ses virées. Considérant sa stature, son poids, l'animal avait probablement été un mâle alpha. Il avait régné sur la meute jusqu'au jour où, parce que sur le déclin, un autre lui avait ravi son rang et l'avait chassé.

L'enneigeant aussi profondément qu'il le pouvait malgré le gel, Nats avait imaginé son errance, la faim omniprésente, la lente agonie qui s'était ensuivie. Il regretta de ne pas avoir rempli davantage la gamelle qu'il laissait devant sa porte, puis il se ravisa, refoula les regrets. Il n'aurait fait que rallonger son sursis et le priver de cette liberté si chère à l'espèce, le rendant dépendant d'autrui.

Achevant sa funèbre besogne, Nats eut le sentiment que plus jamais il n'aurait l'occasion de voir l'un de ceux-là courir la plaine.

Bientôt, ne resteraient que des hommes.

Le monde dans ce qu'il avait de pire.

Bleu d'envie et de haine

Il était su, dans le milieu des malfrats et sa proximité immédiate, que le recrutement du percepteur du Terminus avait lieu une fois l'an. Il était également su que l'élu ne faisait qu'un aller-retour et jamais ne recommençait. L'année suivante ce serait un autre, et ainsi de suite. Cette façon de procéder tenait essentiellement à la prudence réputée maladive du commanditaire. De quel commanditaire s'agissait-il ? Nul ne le savait. Quant à l'élu, même s'il était sur les rangs depuis longtemps, il était prévenu le matin même et devait prendre la route sur-le-champ pour revenir le lendemain. Toutes précautions étaient donc prises pour que nul ne connaisse par avance la tête du percepteur, et encore moins le jour où il transférerait les fonds du Terminus vers la ville en un endroit qui systématiquement changeait.

Il fallait, pour être candidat à l'aller-retour, avoir une formation de comptable, l'expérience allant avec, avoir navigué dans des sphères peu recommandables et, contradiction s'il en était, posséder un casier judiciaire aussi vierge que sa réputation.

Jésus fumait une cigarette allongé sur son lit et pensait à ce qu'il ferait de tout ce pognon s'il était l'élu. Il quitterait la ville pour gagner le Sud, s'y achèterait une maison spacieuse, avec piscine : classieuse. Il placerait le reste de l'argent et vivrait de ses rentes.

Ne plus rien faire enfin, ne plus jamais truquer les comptes, ni blanchir l'oseille pour quiconque.

Jésus avait atteint la quarantaine et, à force de travail et de malignité – malignité qui en principale consistait à rouler le fisc –, il était devenu un homme respecté. Si respecté que beaucoup de ses employeurs l'avaient surnommé « le Virtuose ». Outre ses qualités à transformer un billet de cinq cents sale en un billet de quatre cent cinquante aussi propre que s'il était sorti fraîchement des presses de la Banque nationale, Jésus avait un physique de boxeur, catégorie poids lourd.

D'évidence, il possédait les atouts nécessaires pour le job.

La sonnerie du téléphone se fit entendre. Il se retint d'espérer et décrocha.

À l'autre bout du fil, posément, une voix lui donna une série de consignes. En tête de série : ouvrir la porte d'entrée. Ce qu'il fit après avoir raccroché.

Sur le paillasson était déposée une longue boîte de carton. Il s'agenouilla et l'ouvrit.

112

À l'intérieur, soigneusement plié, se trouvait un costume gris à sa taille. Posées dessus, des clés de voiture.

Il n'espérait plus, il jubilait.

*

Sarah réalisait que Nats était différent de ce à quoi elle s'était attendue, différent encore des dires de Tom, et que cette différence ne tenait pas uniquement à son physique.

D'habitude, lorsqu'un *quidam* franchissait la porte de son oncle, il était identique à tous ceux de ce coin-ci du monde, rustre et dépourvu de toute prévenance. Elle ne les jugeait pas, c'était ainsi qu'ils étaient élevés, dans la crainte d'être réputés faibles si d'aventure ils avaient un geste de courtoisie, une parole d'empathie.

Son père était ainsi. Les seules fois où il lui avait tenu la main, enfant, c'était pour lui apprendre à tirer au pistolet. Et lorsque, ensemble, ils allaient dans les bois pour l'entraîner à se défendre, comme il disait, son regard en racontait long sur le chagrin qu'il éprouvait d'avoir eu une fille plutôt qu'un garçon.

Elle cligna des paupières dans la pénombre de la chambre et trouva étrange de ne se souvenir que de cet infime détail à propos de son père. Elle fouilla sa mémoire, mais rien n'y fit, le temps semblait avoir englouti le passé. Elle ignora l'incident, haussa les épaules et revint à sa préoccupation première.

Nats était différent donc, et cette différence l'intriguait.

Le jour de leur rencontre, avant qu'il ne soit trop saoul, que sa parole ne soit hachée par l'alcool et qu'il ne se mette à dessiner sans même y prêter attention, ils avaient discuté. De ses voyages, des paysages qu'il avait arpentés. Toutefois, lorsqu'elle avait tenté d'approfondir un sujet, il avait détourné la conversation et parlé d'autres lieux encore, d'autres emplois qu'il avait tenus ici et là. Tous des emplois de bête de somme.

Plus tard, elle avait insisté, l'avait questionné sur l'endroit où il était né et sur ce qui l'avait conduit ici. D'un coup, il avait eu l'air horriblement gêné et il avait manifesté le désir d'aller se coucher. Ce qu'avait fait Tom depuis longtemps.

Elle l'avait aidé à monter l'escalier, à s'allonger, et, l'observant, colosse vaincu par l'alcool, elle avait longuement hésité à le déshabiller. Ce n'était pas pour qu'il soit plus à l'aise que finalement elle avait cédé, mais par curiosité. Car le peu d'hommes que Sarah avait fréquentés pendant ses années universitaires étaient tous bâtis à l'identique : svelte, pour ne pas dire fluets. Aussi avait-elle éprouvé le désir non pas de comparer mais de s'instruire d'un autre modèle. Lui retirant ses vêtements, elle avait culpabilisé de cette curiosité, la supposant malsaine, peu en adéquation avec l'image d'une jeune fille équilibrée. Puis, d'un coup d'un seul, elle ne s'était plus souciée du tout de sa présumée innocence. Il s'était retourné alors qu'il était désormais en caleçon et elle avait vu ce qu'elle observait à présent : fouillis cicatriciel, bouillie de chair mutilée.

Elle était restée là, debout, interdite, à examiner ce corps dont chaque parcelle était muscle. Mais, sans arrêt, même si elle faisait un effort pour ne pas céder, son regard revenait sur le mélange de balafres. Et pour ce qui était de son innocence, même si ce constat ne la flattait guère, bien obligée de l'admettre : elle l'avait perdue ce soir-là, dans cette chambre-là, car, soudainement, elle avait eu terriblement envie de lui, comme elle n'avait jusqu'alors jamais eu envie d'un homme.

— Tout comme maintenant, murmura-t-elle.

Elle se souvint qu'elle s'était contrainte à sortir de la pièce pour recouvrer son calme, mais cela n'avait pas eu l'effet escompté. Dans le couloir qui la conduisait à sa chambre, le désir était toujours présent, lové dans le bas de son ventre, chaud et grandissant. Et avait recommencé le lendemain, alors qu'elle le questionnait au réveil, alors qu'il la questionnait dans la cuisine. Et encore lorsqu'elle s'était serrée contre lui sur la motoneige qui les conduisait au Terminus. Et toujours lorsqu'ils avaient parcouru le chemin pour se rendre chez lui, alors que, à n'en pas douter, cela avait été l'une des pires journées de sa vie.

Elle se contraignit à se lever, à penser à autre chose qu'à son désir pour Nats. Elle s'habilla sommairement et gagna le rez-de-chaussée.

Elle ressentait un léger malaise en observant les lieux, mais elle le mit sur le compte des événements de la veille.

D'après ce qu'elle pouvait constater, Nats était un type organisé. Chaque chose semblait être à sa place. À côté du poêle de la cuisine : une caisse pleine de brindilles sèches et quelques vieux journaux ; des bûches. Plus loin, une bouteille de pétrole. Elle poussa un CD qui débordait de son lecteur posé sur le plateau d'un vaisselier, monta le volume et s'occupa du feu. Elle trouva le téléphone dans la salle à manger, prévint son oncle de l'endroit où elle résidait : il n'eut pas l'air plus étonné que ça. Il conclut leur conversation par un « Bienvenue chez toi » qu'elle ne comprit pas.

La communication était mauvaise. Elle avait sans doute mal entendu.

Elle raccrocha et revint dans la cuisine pour se mettre en quête d'un paquet de café. Pour ça, elle fouilla le vaisselier.

Pourquoi pas dans cette boîte-ci ? Non, la boîte contenait une liasse de billets sertie par un élastique d'un autre âge et une vieille coupure de presse sur laquelle s'étalait le visage d'un homme aux airs patibulaires. Elle l'inspecta longuement. Le cliché était de mauvaise qualité, sous-exposé, l'encre avait disparu à maints endroits. Toutefois, elle éprouvait un indicible sentiment de déjà-vu. Un peu comme si les traits du modèle lui étaient familiers. Elle ouvrit une autre boîte plus large, plus haute, elle y découvrit quantité de dessins. Des portraits qui, à quelques infimes variantes près, et bien que les moyens employés pour les réaliser fussent d'une grande variété, étaient identiques. Identiques dans le sens où le sujet était unique.

116

Elle les compara à la coupure de presse, d'évidence, c'était le même homme. Le même qu'avait dessiné Nats chez le vieux Tom, puis la veille sur la nappe de l'une des tables du Terminus. Encore une fois, elle éprouva la désagréable sensation d'avoir déjà croisé ce visage. Elle fouilla ses souvenirs, sans succès. Elle referma les boîtes et passa à la suivante. Dans celle-ci, une seule photo noir et blanc. Nats – s'il s'agissait bien de lui – devait avoir dans les cinq ans et posait assis sur une chaise style rococo. Sur sa droite se tenait debout, pouces glissés dans l'emmanchure du gilet de son costume, un homme d'un âge avancé, à l'air sévère. Sur sa gauche, une femme plus jeune, jolie, élégante, semblait s'ennuyer à mourir. Elle remarqua les traits d'usure qu'avaient laissés les pliures successives, elle chercha la combinaison, la trouva. L'enchaînement des pliages isolait le minois blasé de la jeune femme. Nats lui ressemblait.

Elle remit tout en ordre et poursuivit sa quête.

Elle trouva ce qu'elle cherchait dans le second buffet. Elle remplit d'eau et de café les compartiments respectifs de la cafetière italienne, la posa sur le poêle qui ronronnait. Au passage, elle constata que la vaisselle était faite, que l'égouttoir était vide. Elle avait peu l'expérience des hommes, toutefois elle trouva la chose inhabituelle.

Elle éjecta le CD, la musique classique l'insupportait. Elle passa en revue les titres, mais ne trouva rien d'autre que de l'opéra, des *opus* machin, des mouvements truc… Elle enclencha le bouton de la radio, d'un doigt elle se balada sur les ondes jusqu'à trouver une station pop-rock : *Heartbreaker* de Led Zeppelin, voilà qui lui convenait.

Bol de café fumant en main, elle grimpa l'escalier et poussa la porte de la chambre. Il n'avait pas bougé. Sans bruit, elle déposa le bol de café sur la table de chevet puis elle nourrit le feu qui menaçait de s'éteindre et revint près du lit pour encore se perdre dans le fatras de son dos.

Elle cherchait le mot juste pour désigner ce qu'elle voyait.

Cartographie, peut-être.

Elle n'eut pas l'occasion de pousser plus avant ses recherches.

Elle portait un tee-shirt, le pull de Nats par-dessus et rien d'autre.

Une main s'insinua à l'intérieur de ses cuisses, grimpa plus haut.

Elle quitta ses fringues, les balança, retourna Nats et presque avec violence, à califourchon, mains posées à plat sur son torse, elle lui fit l'amour.

Violence teintée de douceur.

Violence parsemée de tendresse.

S'ensuivit un orgasme.

Son premier.

Autrement qu'avec ses doigts s'entend.

Elle pensait que tout pourrait s'arrêter là, elle l'espérait.

— Et moi, il dit ?

— Et toi quoi ?

Il la ceintura pour la retourner.

Elle planta ses ongles dans la cartographie de son dos, créa quelques routes supplémentaires, d'autres voies et une ribambelle de sentiers.

Mademoiselle quitta la chambre. Pour peu que les chiens puissent avoir l'air agacé, il en avait l'air.

Maintenant, bien sûr, le café était froid.

*

Nats évacua de son esprit un visage noyé dans la pénombre, la lueur d'une flamme dessinant des traits l'espace d'un court instant. Il secoua la tête pour finir d'en éjecter les mauvaises pensées et revint à la réalité.

Allongé sur le dos, il fumait une roulée. Sur son torse reposait la tête de Sarah qui se passait entre les lèvres, dans des allers-retours distraits et incessants, l'une des mèches de sa chevelure.

— Tu fais quoi dans la vie ? il demanda.

— Eh bien, l'essentiel de mon activité consiste à attendre que tu me poses précisément cette question.

— Je te la pose.

— Je suis encore à l'université.

— Ça je m'en doutais, mais alors qu'est-ce que tu fous ici ?

— Sur sa demande, je visite la seule famille qu'il me reste et j'en profite pour finir une thèse de doctorat.

Il siffla d'un genre de sifflement admiratif. Noya sa cigarette dans le bol de café froid, puis il s'en roula une autre, l'alluma et poursuivit :

— Et elle porte sur quoi, cette thèse ?

— De l'expérience individuelle au phénomène global : configuration et réponses sociales à l'immigration en milieu froid.

— Froid et hostile.

— O.K. ! De l'expérience individuelle au phénomène global : configuration et réponses sociales à l'immigration en milieu froid et hostile. C'est mieux comme ça ?

— Disons que c'est plus juste. Et si j'ai bien saisi, les observés, enfin les sujets de l'étude, sont des types dans mon genre.

— Tu as bien saisi, mais tu ne représentes que l'exception, que l'infime partie.

— En quoi suis-je différent ?

— À toi de me le dire.

Il ne réfléchit pas vraiment, parce que la réponse, il la connaissait depuis longtemps :

— Moi, je ne fuis rien.

Elle cessa d'un coup d'être distraite, se releva pour s'asseoir en maintenant pudiquement le drap contre sa poitrine et se retourna pour le dévisager.

Le vert de ces yeux-là, Nats ne le connaissait pas, n'avait jamais remarqué avant la veille, dans la nature ou ailleurs, qu'il existait. Rehaussé de rousseur bouclée, ça tenait du divin.

— Si tu ne fuis rien, tu cherches donc quelque chose ou quelqu'un ?

— Une question par jour, seulement une, Sarah.

En vérité, Nats ne comprenait pas comment un type comme lui pouvait plaire à une fille comme elle. Mais comme le monde n'avait aucune logique, pas le plus petit début, pas davantage ici qu'ailleurs, rien qui puisse le justifier ou l'expliquer : alors pourquoi pas.

Elle plongea dans ses pensées tandis que lui s'assoupissait.

C'est Tom qui avait insisté pour qu'elle vienne, prétextant au téléphone qu'il ne l'avait pas vue depuis des années, qu'il vieillissait…

Après avoir défait ses valises, rangé ses frusques et fait un brin de toilette, Sarah l'avait rejoint dans la cuisine pour s'excuser de ne pas être rentrée au bercail depuis si longtemps. Puis elle l'avait longuement remercié pour l'intérêt qu'il lui témoignait, pour son soutien financier : l'argent pour ses études, celui du loyer, la pension qu'il lui versait chaque mois depuis qu'elle vivait en ville. Le vieil homme l'avait écoutée patiemment, hochant la tête de temps à autre par-dessus sa tasse de café fumante, puis il avait répété comme il en avait l'habitude lorsqu'elle abordait le sujet qu'il n'y était pour rien, qu'il ne faisait que lui restituer son dû : l'héritage reçu après le décès de sa mère. Elle était épuisée, conséquence d'un voyage en autobus d'une dizaine d'heures, aussi n'avait-elle pas objecté. Mais était-ce de la fatigue ou de la lâcheté, ou encore était-ce parce qu'elle avait compris depuis longtemps déjà qu'on ne pouvait naître mâle dans ce coin-ci du monde et ne rien dissimuler ?

Elle n'avait pas objecté, pourtant consciente que sa mère était morte sans un sou, sans même de quoi s'offrir un enterrement décent, et que s'il n'y avait eu Tom, comme chaque fois que la vie tournait mal, elle n'aurait eu les moyens de rien, surtout pas ceux de s'instruire.

Elle sourit : le vieux Tom mentait par omission, tout comme elle qui faisait mine de croire que tout ce que dépensait son oncle pour qu'elle puisse s'extraire de cette terre ingrate provenait de la vente de la ferme où elle avait grandi. Le compte ne pouvait y être, elle notait chacune de ses dépenses. Ne connaissant pas le montant de la transaction, elle n'en avait pas la preuve, mais elle en était persuadée, le compte ne pouvait y être.

— Pourquoi m'avoir fait venir, pourquoi maintenant ? lui avait-elle demandé.

— Parce que l'air de la campagne est bénéfique pour la santé, ou peut-être parce que j'ai des projets pour toi, qui sait…, il avait répondu, évasif.

Puis, sans plus s'attarder sur le sujet, il n'avait eu de cesse de lui parler d'un certain Nats. Il concluait chaque fin de phrase par : « C'est un type bien, ce Nats. Un type bien. » Mais chaque fois qu'elle demandait des précisions, il esquivait, répondait comme il savait si bien le faire : à côté.

Avant de vaquer à d'autres occupations, distiller et encore distiller, il avait précisé pour conclure : « Et en plus d'être un type bien, il cuisine. »

Elle s'était demandé s'il cherchait à le lui vendre. Elle n'avait nul besoin d'un homme et, si c'était le cas, elle ferait en sorte qu'il ne soit pas d'ici, elle pensa.

122

Écoutant la respiration de Nats, elle sourit encore, mais cette fois-ci de sa logique quelque peu défaillante.

*

Twigs la Levrette râlait, et pas qu'un peu. Deux morts en deux jours, c'était un de trop. D'autant que celui-ci, il ne savait pas d'où il sortait, il ne l'avait jamais vu, sa gueule ne lui disait rien, surtout rien qui vaille. Sans parler qu'il portait le costume gris et bien coupé qu'affectionnaient les percepteurs du Terminus.

Étrange…

Il n'osa pas en faire la remarque à Sean qui, plus loin, adossé à la porte coulissante du garage, verre de gnôle en main et cigarette au bec, attendait en observant la giboulée redoubler.

Twigs poussa la manette du chariot élévateur, la fourche s'abaissa lentement et l'une des deux dents de métal fit exploser la mâchoire de l'anonyme.

— Et maintenant on fait quoi ? il demanda en descendant de l'engin.

— Comme d'habitude : tu le débarrasses de ses empreintes et tu l'enneiges quelque part très loin.

Twigs acquiesça d'un signe de tête et se renseigna sur le devenir du pick-up rutilant garé devant le Terminus. De toute évidence, celui du mort, vu qu'il ne l'avait jamais vu non plus.

— Tu le désosses et tu le revends en pièces détachées. C'est tout bénef pour toi. Ça va comme ça ?

— Ça va.

— Et n'oublie pas de livrer la gnôle au Terminus.

— Ben voyons.

— Tu dis ?

— Rien, Sean. Rien d'important.

— Tant mieux.

Twigs maugréait en tirant le corps de l'anonyme par les pieds. Putain, c'était pas un petit gabarit. Twigs maugréait toujours pendant qu'il allumait le chalumeau, maugréait tandis qu'il passait un à un les doigts de l'anonyme sous la flamme, que ça fumait noir, que ça puait.

— Rien d'autre à ajouter ? demanda Sean lorsque Twigs eut éteint le chalumeau.

— Rien d'autre.

— Alors va te faire enculer.

Si seulement, pensa Twigs, si seulement…

Mais avec un mort sur les bras, le temps lui manquait.

Et c'était mardi soir.

*

Pendant longtemps, les songes de Sarah avaient été hantés de bleu, d'un bleu semblable aux yeux de Sean.

Lorsqu'elle avait mis en terre la dépouille de sa mère, même si elle en éprouvait une certaine honte, elle avait admis que c'était mieux ainsi. Elle n'avait pas l'âge ni la patience d'une garde-malade et les souffrances qu'endurait la moribonde avant de succomber, malgré la morphine administrée en doses grandissantes, lui étaient devenues insupportables.

Tom ne s'était pas déplacé pour l'occasion, il ne quittait plus la ferme depuis qu'il avait perdu ses jambes. Elle comprenait, et puis elle avait envie d'être tout à sa tristesse. Il avait respecté son vœu, n'avait prévenu personne. Elle était donc seule pour la cérémonie, qui dura le temps que le fossoyeur descende le cercueil en tombe et le recouvre d'une terre humide de neige fraîche. Il avait psalmodié une série de phrases inintelligibles puis elle avait déposé sur le cercueil les quelques fleurs des champs qu'elle avait cueillies à l'aller, une poignée. La belle saison touchait à sa fin et les jours qui la séparaient de son départ semblaient interminables. Il en restait sept. Elle était encore une enfant, aussi les avait-elle baptisés. Nous étions « Grincheux » et elle s'en irait à « Joyeux ». La métaphore l'avait fait sourire, elle y avait vu un signe positif. Un bel avenir, loin d'ici, loin des contes, loin de l'enfance, et ne jamais revenir.

Au retour, elle avait évité la bourgade. L'envie de la découvrir enfin la séduisait. Mais les ordres de Tom avaient été formels, et elle avait l'assurance que si elle désobéissait, il l'apprendrait tôt ou tard.

Tom connaissait les moindres détails, de la vie, des activités de chacun. De quelle manière ? Elle l'ignorait, mais elle n'avait aucun désir de lui désobéir.

Au kilomètre trente, le moteur du pick-up avait émis des râles étranges, s'était essoufflé et s'était tu. Au kilomètre trente, elle constatait que la cibi ne fonctionnait plus non plus. Le jour avançait vers une nuit tout en lune. À cet instant, ronde et blanche, elle croisait le soleil bas dans le ciel.

Elle s'était résignée à regagner la ferme à pied. À vue de nez, cela prendrait une heure et demie, peut-être deux. Dans ces cas-là, il était d'usage d'ouvrir la malle de survie placée sur le plateau du pick-up, d'y récupérer le pistolet, d'y visser le tube prévu à cet effet, de le charger d'une fusée éclairante et de tirer en direction du ciel, le plus à la verticale possible. Ensuite, rejoindre la cabine du pick-up, s'enrouler dans une couverture et attendre les secours qui ne tardaient jamais. Aucun individu alentour, en voyant le signal, ne se serait soustrait à son devoir. Cette leçon-là, elle l'avait apprise depuis l'enfance, mais elle n'avait pas l'intention de la mettre en pratique. Le temps était clément, elle était chaudement vêtue et, comme déjà dit, elle était encore une enfant avec ce que cela comporte d'insouciance et d'impatience.

Elle avait parcouru une centaine de mètres avant qu'elle ne soit dépassée par un camion bâché. Il avait ralenti, s'était arrêté, puis il avait fait marche arrière et s'était immobilisé à son niveau. Tout compte fait, elle n'aurait pas à marcher et cette perspective lui plaisait.

Lui avait moins plu la figure du bûcheron entrouvrant les pans de bâche, encore moins celles de ses comparses qui un à un étaient descendus du camion pour venir à sa rencontre.

126

— Un coup de main, mademoiselle ? avait dit l'un.

— Ou un coup d'autre chose ? avait proposé le suivant.

Désormais, elle regrettait de ne pas avoir suivi la leçon. Et lorsqu'une main s'était abattue sur ses fesses, qu'une autre s'était glissée sous son manteau puis sous son pull, elle avait regretté de ne pas l'avoir ouverte, cette foutue malle, de ne pas avoir le pistolet en main.

Elle avait mordu, distribué des coups à l'aveugle, griffé, puis, alors qu'elle redoublait d'efforts pour se dégager, que toute force la quittait, qu'elle rejoignait le sol délestée de son manteau, d'une grande partie de son pull, un ordre gueulé s'était fait entendre, immobilisant les bûcherons, figeant la scène.

Quelques secondes interminables plus tard, comme si Dieu lui-même les avait suspendues, un homme avait traversé le troupeau et s'était penché sur elle jusqu'à lui toucher la joue du bout du nez.

— Le pick-up, là-bas, il est à qui ? il avait demandé.

Elle avait essuyé d'un revers de manche absente le sang qui lui coulait à la commissure des lèvres pour hoqueter :

— Il est à Tom.

— Et qu'est-ce que tu as à voir avec le vieux Tom, toi ? avait grogné l'homme.

Elle avait répondu que Tom était son oncle. Elle n'avait su quoi ajouter d'autre, mais déjà le regard de l'homme s'était décroché du sien pour s'accrocher à celui du bûcheron. Le premier descendu du camion qui la tenait encore par les restes de son pull. Un regard aussi bleu que l'acier et aussi peu malléable.

Le bûcheron avait lâché prise, avait reculé d'un pas et tenté de se justifier :

— Déconne pas, Sean, on voulait juste rigoler un peu.

— Je ne vais pas déconner, mon gars. Je ne vais même pas te filer la correction que tu mérites, parce qu'il n'y a rien que je puisse te faire en comparaison de ce qui t'attend si le vieux Tom a vent de tes manières. Rien, je te l'assure. Maintenant tu la portes jusque dans la cabine, tu l'installes et, si tu tiens à ta peau, tu la supplies pour qu'elle oublie cette histoire. Ensuite, tu récupères tes affaires et tu fous le camp.

— La nuit tombe, avait objecté le bûcheron.

Puis il avait ajouté, comme pour préciser :

— Les loups…

Sean avait haussé les épaules et, dans ce haussement d'épaules, Sarah y avait lu quelque chose comme : « Les loups, ce n'est rien. Si tu savais… »

Elle délaissa ses souvenirs en réalisant que Nats, éveillé, penché sur elle, l'observait avec insistance. Elle hésita à le questionner à propos de la réputation de Tom, mais elle remit la chose à plus tard et l'enlaça.

*

Non seulement le percepteur était grassement rémunéré mais il gardait, à l'issue de son aller-retour, le véhicule qu'il avait utilisé.

128

Jésus serra les dents de plaisir, le modèle de pick-up était bien celui dont il avait toujours rêvé. Toutes options, anthracite et jantes alu, chromes rutilants et toute la panoplie du haut de gamme. Il en fit le tour, alluma sa machine à calculer de tête. Se livra à une rapide addition, en conclut que :

— Trois ans de salaire.

Et pas trois ans d'économie, non, trois années de payes complètes.

Il sourit, alluma une cigarette et pressa le petit boîtier accroché au trousseau de clés. Les feux du véhicule s'allumèrent tour à tour, les portes se déverrouillèrent. Il hésita, c'était pas le genre de bagnole dans lequel on fumait, pas le genre de caisse où l'on supportait que les mégots envahissent le cendrier. Il jeta sa clope au loin et grimpa.

Une fois installé derrière le volant dans son siège plein cuir, il se baissa et récupéra une carte routière dans la boîte à gants. Le Terminus, il le connaissait de nom, vaguement l'endroit où il se trouvait : au nord, mais précisément non. La carte lui serait utile, d'autant que la neige était de la partie, s'accompagnait d'un brouillard opaque.

Il lança le moteur et pensa : plus qu'une journée et à moi la belle vie.

*

Twigs la Levrette avait trop envie de goûter aux plaisirs du Terminus pour faire le boulot comme il fallait. Aussi l'expédia-t-il, se disant que demain serait un autre jour. Sauf que la soirée fut si alcoolisée que l'autre jour qu'était le lendemain, il ne put se souvenir de ce qu'il avait fait du mort. Probablement qu'il l'avait enneigé pas très loin.

Il n'en dit rien.

Il finirait bien par remettre la main dessus.

*

— Putain de neige ! dit Jésus, et il le répéta une bonne dizaine de fois.

Il était perdu et ici tout ressemblait à tout et inversement. Il se gara sur le bas-côté, espérant que ce soit un bas-côté, n'éteignit pas le moteur et se plongea dans la lecture de la carte. De temps à autre, il levait le nez pour regarder au travers du pare-brise, mais la neige tombait sans discontinuer et rien ne semblait vouloir percer au travers. À moins que... Il fronça les sourcils, s'il ne rêvait pas, si ce n'était pas un effet dû au mélange météo – flocons et brouillard –, une lumière brillait là-bas, faible et discrète. Il enclencha une vitesse et, à petite allure, il parcourut la distance qui l'en séparait.

L'horloge du tableau de bord indiquait qu'il n'était pas en retard, si toutefois il ne s'était trompé de route qu'à la bifurcation précédente. Il l'espéra et se gara dans la cour d'une ferme identique à toutes celles qu'il avait déjà croisées. Les gens du coin ne cultivaient pas la différence, mais qu'importait. Il allait demander son chemin et tout allait rentrer dans l'ordre.

Il descendit du véhicule et frappa à la porte.

Quelques minutes plus tard, il se réinstallait au volant et prenait la direction du Terminus.

Le type n'avait pas été franchement aimable en lui indiquant la route à suivre, franchement désagréable même. Lui avait été poli pourtant. Lui avait même demandé s'ils ne s'étaient pas déjà rencontrés par le passé.

La réponse qu'il avait obtenue était le claquement de la porte qui se refermait.

Sans doute que l'isolement rendait les gens du coin un brin acariâtres…

Il ne se questionna pas davantage et se concentra sur la route.

Plus que quelques heures.

*

Ça l'inquiétait, tout de même, cette histoire de mort égaré.

Allongé sous un pick-up dont il faisait la vidange, observant l'huile s'écouler en un filet épais de la boîte de vitesses à la bassine, Twigs pour la énième fois tentait de se remémorer à quel endroit il avait enneigé ce foutu macchabée. C'était pas faute d'avoir fureté aux alentours chaque fois qu'il avait un moment de libre. Mais bon Dieu, la neige c'était de la neige, et la neige ressemblait à de la neige comme deux flocons de neige.

Il attendit que la dernière goutte s'étire et vienne dans un *plop* rejoindre le reste du liquide noirâtre

et visqueux. Le faisant rouler dans ses mains grais-
seuses, il s'assura du bon état du joint. Satisfait, il
revissa le bouchon de vidange, le serra, puis il se
dégagea des dessous du moteur pour aller transvaser
l'huile usagée dans le réservoir du poêle dont c'était
la came favorite. Faisant ça, il ne cessa pas un instant de solliciter ses méninges : au nord peut-être ?
À l'ouest ? Mais aussi bien ça pouvait être côté sud
ou côté est : n'importe où...

Il soupira, se rassura : tant qu'il était le seul à
savoir qu'il ne savait plus, ça devrait aller.

Ensuite... Ensuite, il ne donnait pas cher de sa
peau, elle ne vaudrait plus rien.

Maugréant, il alla chercher un bidon d'huile neuf
et fit le plein de la boîte de vitesses. Il vérifia encore
deux, trois éléments, puis il lança le moteur et le fit
tourner jusqu'à ce que, satisfait du ronronnement de
la mécanique, il coupe le contact et jette son chiffon
noir de crasse.

S'il fallait décamper vite fait au dégel, il serait prêt.

À moins que, d'ici là, la mémoire ne lui revienne.

*

C'était un drôle de vert que le vert des yeux de
Sarah. Il tendait davantage vers l'azur que vers le
safran, plus clair, donc, que foncé. Ou inversement ?
C'était comme le roux de ses cheveux, comme le
roux de... Il souleva discrètement le drap, couvertures et édredons, observa, c'était bien ça, lui aurait
dit orange. Orange clair ?

Question couleurs, Nats se paumait.

— Tu es déjà tombé amoureux, Nats ?

Quant à ses lèvres, elles avaient l'exacte couleur de ses mamelons.

Il cessa son observation colorée pour lui répondre.

— Ça m'est arrivé.

— C'est comment ?

— Décevant et douloureux.

Il avait aimé à en crever. Elle le prétendait unique et l'avait trahi. Il le lui avait fait payer au centuple, il n'était pas fier de ça. Il n'y avait rien à dire de plus, les histoires d'amour sont le plus souvent d'une affligeante banalité, y compris dans les douleurs et les pleurs qu'elles occasionnent. Et, contrairement à ce que beaucoup prétendent, ne restent pas en mémoire seulement les bons souvenirs.

La beauté de la jeunesse tient en grande partie à son innocence, Nats savait ça, aussi il se retint de formuler ses pensées à voix haute.

— Peut-être qu'il en va quelquefois autrement, suggéra-t-elle, pensive.

— Peut-être bien.

Le temps sembla s'étirer comme un élastique, puis, d'un coup, il se détendit.

— J'ai faim, elle dit.

Et elle sauta du lit pour grimper dans son jean, enfiler chaussettes, chaussures et pull et dévaler l'escalier.

Une fois dans la cuisine, elle nourrit le poêle de quelques bûches, monta le son de la radio, sortit du buffet un paquet de farine, des œufs, du lait et une jatte dans laquelle, en un mélange ordonné, elle fit une pâte à crêpes.

Nats la rejoignit alors qu'elle revenait de la pièce annexe, autrement dit la remise fraîche, avec une boîte de bière. Elle la décapsula, en dilua une partie dans la pâte blonde et lui tendit le reste.

Il refusa, préférant commencer la journée par du café.

— J'en ai refait, sers-toi.

Ce qu'il fit, tandis que goulûment elle vidait la cannette de bière d'une main. Tandis que de l'autre main elle tournait la pâte en s'époumonant, calant sa voix sur celle de Tom Waits.

Elle exécuta le dernier couplet plus qu'elle ne le chanta, puis elle décida que la pâte avait assez reposé, qu'il était temps de déjeuner. Elle enchaîna les crêpes, les fit sauter. Un peu comme si elle avait consacré sa vie à l'exercice. Elles finirent sur assiettes et sur table, accompagnées d'un pot de confiture et d'un autre de sirop d'érable, d'un paquet de sucre roux en poudre, de couverts et de bols fraîchement remplis de café.

Jamais elle ne se trompa de tiroir, jamais elle n'hésita devant la porte d'un placard, si bien que Nats se posait des questions quant à leur possible compatibilité question rangement.

Ce serait une première.

— Alors ?

— Alors c'est sacrément bon, il avoua.

Ses yeux verts scintillèrent d'une lueur de satisfaction.

Par-dessus, elle ajouta un sourire à corrompre une douzaine de paradis, leurs anges respectifs et leurs clients.

*

Le ciel s'empourpra, puis, doucement, vira à l'orange. Quelque part, une branche céda sous le poids de la neige et la nuit vint. Avec elle, la tempête. Au loin, le moteur d'une motoneige vrombissait, signe que tous n'étaient pas encore au Terminus.

Et à propos du Terminus :

Les hommes s'alignaient derrière le comptoir en une rangée désorganisée, rigolarde et passablement saoule. De temps à autre, l'un d'eux délaissait son verre pour grimper à l'étage et se payer du bon temps avec une fille ou deux. Cela ne durait jamais, une poignée de minutes plus tard le voici qui revenait pour réintégrer la meute et recommander à boire.

Pour la plupart, ils étaient bûcherons. Aucun d'eux ne faisait ce boulot pour le plaisir, aucun d'eux n'avait un passé sans accroc ni les mains propres, et tous étaient sous la responsabilité de Sean qui, à ce moment précis, penché par-dessus le zinc, s'entretenait à mots couverts avec l'Irlandais. Faisant ça, ses sourcils se fronçaient, ses poings se serraient.

Assis à une table du fond, Twigs la Levrette observait la scène derrière son verre de gnôle et crevait de trouille. Il hésitait à s'esquiver discrètement. Ça le tentait, sauf que ses jambes s'y refusaient, flageolaient, le clouant sur sa chaise.

Écoutant toujours l'Irlandais, le regard de Sean, sourcils toujours froncés, errait dans la salle. Pendant quelques secondes il s'attarda sur le visage de Twigs.

D'un trait, le mécano vida son verre, ce qui eut pour effet de lui révulser l'estomac et de lui éviter l'évanouissement. Il toussa et jura. Pour ce faire, il se plia en deux et, lorsqu'il releva la tête, ce fut pour voir Sean s'avancer vers lui à grands pas, avec dans son sillage l'Irlandais.

On dit que lorsque la mort se pointe, la vie d'un homme lui défile dans la tête, toute sa vie en quelques instants. Twigs vérifia cette supposition et aurait pu à coup sûr la démentir : dans la tête il n'avait rien, aucune image ne s'y bousculait, non, s'y affrontaient simplement le néant et le vide. Lorsque Sean fut à un mètre, il ferma les yeux, toujours pas d'images, toujours pas de souvenirs, mais plus de vide, plus de néant non plus, rien qu'une terreur incontrôlable et la conscience aiguë qu'il avait une irrésistible envie d'uriner.

Il sentit un frôlement comme un courant d'air assassin qui passe et vous ignore. Il espéra et rouvrit les yeux.

L'Irlandais, planté là, rigolait. Lui fit remarquer d'un ton moqueur :

— Vrai que c'est pas de l'alcool de gonzesse qu'il a concocté, le vieux Tom.

Twigs ne releva pas l'allusion, se contenta de serrer les cuisses pour dissimuler l'urine imbibant le tissu de sa salopette et respira profondément. À présent, Sean ouvrait la porte dans son dos et la refermait dans un claquement.

— Je t'en sers un autre ?

— Un double ! Il se passe quoi ?

L'Irlandais prit sa gueule des mauvais jours pour répondre.

— Un type vient d'abîmer la marchandise.

— Merde, laquelle de marchandise ?

— Leïla.

— Abîmée de beaucoup ?

— Un œil au beurre noir, trois fois rien, mais tu connais les principes de la maison.

Twigs fit un mouvement de tête pour dire que oui, il les connaissait. Des principes simples, limpides : à l'extérieur des murs du Terminus, chacun était libre d'aller et de venir comme il l'entendait, de trucider son prochain, de dérouiller sa femme et ses gosses, de torturer ses bêtes, ses proches, ou de commettre tout autre exploit dénué de morale ou de logique. Dehors, chacun faisait ce qu'il voulait. Mais dedans, on se pliait aux règles, et l'une d'elles édictait qu'au Terminus, aux putes on n'y touchait pas !

Pas autrement qu'avec respect, à défaut de tendresse.

L'Irlandais étant parti lui chercher sa double gnôle, Twigs respira profondément encore et encore, respira comme il ne l'avait jamais fait jusqu'alors, juste pour le plaisir de sentir l'air remplir et vider ses poumons. Puis il se cala bien au fond de sa chaise pour confortablement assister au spectacle.

Ledit spectacle ne variait jamais d'un *iota* : Sean entrait, pute sur les talons et type pendu par le col de sa chemise, maintenu à bout de bras. Le silence se faisait. Sean précipitait l'imprudent au centre de la salle, ouvrant une clairière dans la forêt des loups qui aussitôt se refermait, qui aussitôt se muaient en meute ; individus multiples et solidaires faisant barrage de leurs corps pour interdire toute issue. Avec une lenteur affectée, Sean quittait sa veste, relevait ses manches, faisait craquer une à une les articulations de ses doigts, puis débutait le festival des coups de poing, de botte, jusqu'à ce que le carrelage du Terminus soit jonché de dents, couvert de sang. Il ne s'arrêtait que lorsque la chose tuméfiée et boursouflée qu'il tenait entre les mains s'apprêtait à basculer de l'autre côté. Il n'avait jamais été au-delà, pour ceux-là en tout cas. Ensuite, posément, il rabaissait ses manches, les boutonnait, puis il renfilait sa veste et offrait à la pute de porter le dernier coup. Depuis le temps, la salle avait compris le déroulement du cérémonial et, lorsque Sean se retournait, tout le monde gueulait en chœur :

— À vous, mademoiselle !

Leïla joua de la chaussure, visa juste.

Il y eut un bruit mou, son caractéristique d'un talon aiguille se frayant un passage dans un œil.

Un dernier râle avant évanouissement, et chacun regagna le comptoir ou les tables.

Le lendemain, il serait déposé de l'autre côté de la frontière, où l'attendait ce qu'il avait fui.

C'était le boulot de Twigs de déposer les imprudents et, pour une fois, Twigs considéra le voyage qui l'attendait avec bonne humeur.

Il aurait, revenant, tout le loisir de chercher ce foutu cadavre.

Merde, mais où est-ce qu'il l'avait mis ?

*

La veille de son départ pour l'université, le bruit d'une tronçonneuse avait envahi les bois attenants à la ferme. Sarah avait jeté un coup d'œil par la fenêtre et avait aperçu Sean en bras de chemise, s'affairant à éclaircir la parcelle. Plus tard, sur les coups de midi, Tom l'avait priée de porter son déjeuner au bûcheron, puis il s'était enfermé dans le laboratoire, il y passerait l'après-midi et une grande partie de la soirée : la belle saison prenait fin et avec elle les réserves de gnôle de chacun.

Ce qui passe par la tête d'une enfant rêvant d'accéder au monde adulte reste et restera toujours une énigme : elle avait regagné l'étage et avait longuement fouillé les effets de feu sa tante pour y dénicher une robe avec un joli décolleté de dentelles, qu'elle avait enfilée. Ainsi vêtue, panier de victuailles au bout du bras, elle avait rejoint Sean.

Quoi qu'elle eût cherché et quelles que fussent les minauderies qu'elle avait employées pour y parvenir, elle ne l'avait pas obtenu. Sean était resté insensible à ses charmes naissants. Et pourtant, elle aurait juré qu'une ou deux fois son regard s'était attardé dans son décolleté. Mais, aussi vite, il avait détourné les yeux pour les poser sur le corps de ferme.

Alors qu'il avait avalé la dernière bouchée de son repas, qu'elle l'avait remercié de ne pas l'avoir laissée entre les mains des bûcherons l'autre soir, presque malgré elle, sa main s'était avancée vers ce visage aux traits durs, au regard si profondément bleu azur. Il l'avait repoussée avec violence, et la claque qu'il lui avait assénée avait retenti loin dans les bois et, une fois encore, son regard s'était attardé sur la ferme du vieux Tom.

Pour se venger de l'humiliation, elle avait dit quelque chose comme :

— Tu as peur d'un handicapé ?

— De lui, non. Mais de tous ceux qu'il connaît et qui lui doivent un service ou plusieurs. Et tu peux me croire, ça fait un paquet de monde, et pas que du beau. Ton oncle a le bras plus long que tu ne l'imagines, il avait répondu avant de lancer le moteur de la tronçonneuse et de se remettre au travail.

Elle avait ramassé le panier du pique-nique et s'était enfuie, honteuse, la joue en feu.

Le lendemain, elle prenait l'autocar pour la ville. Dès qu'elle en avait foulé le bitume, elle s'était efforcée d'oublier le passé.

*

140

Après le repas, ils firent l'amour. Sur la table de la cuisine parce que ça pressait. Entre deux verres et deux assiettes, sans que ni l'un ni l'autre n'aient tout à fait quitté leurs jeans. De ce point de vue privilégié, Nats était obligé d'admettre qu'effectivement elle avait un cul d'enfer, surtout sans jean.

Mademoiselle déserta les lieux pour gagner l'étage et se fourrer sous les couvertures, révisant dans sa caboche de chien tout ce qu'il savait ou pensait savoir sur l'indépendance de son maître. Il regretta que l'âtre se soit éteint, puis il se dit que ce n'étaient pas des pensées de chien. Aussi cessa-t-il de penser et s'endormit-il.

Ils prirent leur plaisir à l'unisson. Elle finit sur un « Mon Dieu », lui sur un « Madone », à croire qu'une congrégation céleste et sa panoplie d'icônes s'étaient donné rendez-vous là.

La nuit tomba et avec elle, dans un crac retentissant, une branche d'arbre.

Elle se redressa, coudes posés sur la table. Aux bouts de ses cheveux pendaient, épars, les miettes du souper.

Les flocons de neige s'écrasaient mollement sur les carreaux de la cuisine.

Plus tard, alors que Nats avait regagné l'étage pour y remplir le tub d'eau chaude dans lequel ils se fondraient ensemble tout à l'heure. Plus tard, lavant casseroles et assiettes, penchée sur l'évier, Sarah serait de nouveau envahie d'un malaise indicible dont elle ne comprenait pas l'origine. Les lieux lui paraissaient étrangement familiers, semblaient porter une charge émotionnelle dont l'origine lui échappait tout à fait.

Elle suspendit ses gestes, quelque peu agacée, délaissa la vaisselle et alla changer de station de radio. Ce faisant, elle s'interrogeait sur les goûts musicaux de Nats. Elle l'avait questionné sur le sujet, il lui avait répondu que s'il aimait la musique classique, c'était parce qu'il était l'enfant d'une famille bourgeoise, comme si l'un induisait obligatoirement l'autre.

— Où résidait-elle, cette famille ?

— Ce n'est pas notre accord, Sarah, une question par jour et une seule.

Devant sa moue chagrine, il avait finalement cédé dans un sourire.

— Ma famille était établie dans le Sud.

Était-ce au sud de ce coin-ci du monde ou parlait-il d'un autre Sud ? Elle ne lui avait pas demandé, redoutant une réponse plus évasive encore, ou redoutant qu'il n'attende le lendemain pour dire simplement : « Un autre Sud » et, ainsi, prendre de l'avance sur les questions à venir.

De n'importe qui ce comportement l'aurait irritée, mais il était Nats, entier, aussi imperturbable et aussi impénétrable que pourrait l'être un cube de marbre, aussi dense, et cet état la séduisait.

Lui ne l'interrogeait pas. Plus depuis qu'elle lui avait raconté tout ce qu'elle savait sur Sean – et elle en savait peu, hormis les rumeurs et l'incident du camion. Et si elle avait omis l'épisode du pique-nique, c'était par pudeur.

D'évidence, Sean obsédait Nats. Et Sarah, trouvant la station rock souhaitée, se demandait si cette obsession était à mettre en relation avec les portraits qu'il dessinait, la coupure de journal, l'argent niché dans le vaisselier…

Pourtant, s'il restait muet sur son passé, il lui narrait volontiers les soirées écoulées en compagnie de Tom et comment Tom l'avait aidé pour faire de cet endroit un endroit vivable. Lorsqu'il avait investi les lieux, tout manquait, lui avait-il raconté en desservant la table. La ferme n'en était plus une et, parmi les mille travaux à faire, toit, plomberie, carrelage, charpente, il ne possédait que peu de compétences. Il avait prévu de les acquérir avec le temps, mais l'exercice s'était révélé inutile car, au jour le jour, avaient débarqué des hommes qui, eux, possédaient le savoir-faire nécessaire. Lorsqu'il avait proposé de les payer, ils avaient fermé leurs mains, les avaient rangées dans leurs poches en prétextant qu'ils devaient bien ça au vieux Tom.

« Tom aidait et avait aidé chacun ici. »

Reprenant sa position devant l'évier, éponge en main, Sarah fouillait ses souvenirs, cherchait quelque indice pour confirmer cet adage tandis que lui revenaient en mémoire des faits. Elle n'avait passé qu'une semaine chez son oncle mais, à cette occasion, elle avait ouvert la porte à quelques individus, hommes et femmes aux traits tirés de lassitude ou de peine. Pour la plupart, et autant qu'elle s'en souvînt, ils lui étaient inconnus. Tom s'enfermait dans son bureau pour s'entretenir avec eux.

Cela durait plus ou moins longtemps, c'était selon. Mais lorsqu'ils ressortaient de là, les visiteurs s'étaient débarrassés de leur masque et leurs visages se paraient désormais d'un peu d'espoir.

Ensuite, Tom s'enfermait à nouveau et débutait la série des coups de téléphone. Elle entendait mais n'écoutait pas.

À la suite de l'un de ces entretiens, elle lui avait demandé ce que voulait cette femme qui s'en allait le cœur plus léger.

— Un peu de bois de chauffe, avait-il répondu.

Elle lui avait alors fait remarquer que s'il lui cédait une partie du sien, il ne lui en resterait pas assez pour passer l'hiver. Il avait sorti et consulté l'un des multiples carnets que toujours il gardait dans le tiroir de son fauteuil roulant. Puis, pointant une date, un nom, il avait affirmé qu'on lui en devait et qu'il était temps de recouvrir sa créance.

Avant de retourner dans son bureau pour y décrocher le téléphone, il avait ajouté qu'il ne donnait jamais rien, mais qu'il prêtait à très faible intérêt. Il avait précisé que la seule façon d'aider son prochain était de lui permettre de subsister pour entreprendre, non de lui offrir sa pitance.

Elle avait raconté tout cela à Nats, qui ne s'en était pas étonné. À sa connaissance, le vieux Tom avait toujours procédé ainsi.

Elle brûlait de savoir, puisque Tom ne donnait pas mais prêtait, comment lui l'avait remboursé pour son aide.

Elle avait remis sa question au lendemain. Elle avait, de ce point de vue, dépensé tout son crédit.

Vaisselle faite, elle grimpa à l'étage et se coula dans le bain préparé par Nats. Quelques minutes plus tard il la rejoignait et, tandis que dehors la nuit s'épaississait de froid et de neige, ils prirent soin de se laver l'un l'autre.

*

Twigs ne fumait pas, cependant il eut l'irrépressible envie d'extraire de la poche de parka du type ligoté en travers de la selle de la motoneige le paquet de cigarettes qui s'y trouvait, d'en sortir une et de la porter à ses lèvres. Nerveusement, sans y avoir mis le feu, il la faisait rouler d'un coin de sa bouche à l'autre en observant l'opaque paysage.

Le type signalait par des râlements qu'il était en vie. Ce à quoi Twigs répondait invariablement par des : « Ferme ta gueule ! »

Il n'y voyait pas à trois mètres, un épais brouillard était descendu tel un rideau blanc sur une scène tout aussi blanche.

Il s'était arrêté histoire de faire le point, de se dégourdir les jambes, de repérer le panneau annonçant la frontière parce que, moins que quiconque, Twigs avait envie de se retrouver de l'autre côté.

D'une pichenette, il balança la clope et survinrent deux miracles successifs.

En un : le brouillard s'effaça pour découvrir le panneau « Frontière » à vingt mètres à peine.

En deux : un flash-back souvenir d'une brièveté fulgurante le renseigna avec exactitude sur l'endroit où se trouvait ce foutu mort.

Il dessangla sans ménagement le type de la selle pour le mettre au sol et, du pied, le propulser telle une luge à l'extérieur du pays. Voire plus loin parce que ça descendait et pas qu'un peu, voire davantage que pas qu'un peu.

Désormais, Twigs se fendait d'un sourire

Mais.

*

Sarah regardait autour d'elle tandis que Nats vaquait ici et là. La cuisine, comme les autres pièces du bâtiment, était aménagée de façon fonctionnelle. Y manquait une touche féminine mais, dans l'ensemble, la facture était belle et bien faite. Rien à voir avec la ferme dans laquelle elle avait grandi.

Rien à…

Un détail accrocha son regard, elle s'en approcha et percuta, comprit l'origine du malaise qu'elle ressentait dans ces lieux depuis son arrivée.

Si la pièce avait été refaite à neuf, comme tout le reste du bâtiment, une infime partie avait été laissée telle quelle. Elle avança un doigt vers un carreau de faïence qui ne ressemblait pas tout à fait aux autres. Il était dans les mêmes tons que ses frangins, mais plus petit, mais celui-ci s'ornait d'un relief à peine visible tant les années l'avaient estompé, mais celui-ci s'encadrait d'un alphabet au complet en autant de microcarreaux.

— Il sonne creux, précisa Nats. J'ai toujours soupçonné que c'était un tiroir, une sorte de cachette. J'imagine qu'il faut presser les lettres dans un ordre précis, mais je n'en ai jamais trouvé la combinaison. Je l'ai laissé là pour occuper mes vieux jours en futiles recherches, mais aussi bien, ce n'est qu'une bizarrerie que j'aurais pu ouvrir à coup de masse.

— Ce n'est pas un tiroir, mais une cache-trappe ! Et puis, tu as bien fait de t'abstenir, le coup de masse aurait eu pour effet de déclencher le détonateur et... plus de Nats.

— Ah, comment tu sais ça, toi ?

— Dans ce coin-ci du monde, il y en a une dans chaque habitation et toutes sont piégées. Ferme les yeux.

Il s'exécuta de bonne grâce. Ce qu'il n'avait pu trouver depuis qu'il avait restauré la ferme, elle ne pouvait le découvrir en...

Un déclic se fit entendre. Il rouvrit les yeux pour la voir plonger la main dans l'ouverture désormais béante. Elle en extirpa une longue boîte de métal, referma la trappe avec soin et revint s'asseoir.

Ouvrant la boîte pour en sortir deux alliances réunies par une fine chaîne d'or, elle avait l'air à la fois pensive et renfrognée.

— Comment ai-je pu oublier que je les avais rangées là ? elle dit, puis elle ajouta en passant la chaîne à son cou et embrassant la pièce du regard :

nous avons fait l'amour dans la chambre de mes parents. Tu le savais ?

— Non, bien sûr que non. Le vieux Tom ne m'a jamais dit à qui appartenait la ferme avant que je l'achète, et je ne l'ai jamais questionné à ce propos. Et toi, comment...

Elle se leva et fouilla la pièce du regard.

— Comment ai-je fait pour ne pas reconnaître l'endroit où j'ai grandi ? J'étais désorientée, troublée, je ne suis jamais rentrée chez moi par le chemin que nous avons emprunté. Et rien ici ne ressemble à ce que j'ai connu, tout est neuf. Qu'as-tu fait du mobilier ?

— Il est parti en fumée le premier hiver. Si j'avais su, je...

Elle fit rouler les alliances entre ses doigts, songeuse. Puisa dans sa mémoire quelques souvenirs de moments passés ici, mais aucun ne voulut refaire surface. Elle ignora l'amnésie et lui posa la question qui lui brûlait les lèvres.

— Comment t'es-tu arrangé avec Tom pour le remercier de son aide ?

Il cessa toute activité et vint s'attabler face à elle.

— Les vingt premières livraisons de gnôle, je les ai faites gratis. Et si tu te demandes ce qu'il a fait de l'argent qu'il a économisé sur ces coups-là, je te le dis parce que je le sais. Il l'a prêté à la veuve Liners pour qu'elle rafraîchisse son étable et s'achète quelques bêtes supplémentaires. Elle les a engraissées et revendues plus tard. Sauf une. Avec l'argent de la vente, elle a remboursé le vieux Tom et elle

148

a placé le reste, toujours chez le vieux Tom, pour qu'il le fasse fructifier. Ce que fait chacun ici, sitôt qu'il possède des économies.

Elle ne lui fit pas remarquer qu'il ne faisait pas partie de ce « chacun » parce, que sans cela, la coquette somme sertie d'un élastique ne serait pas à l'abri dans le vaisselier. Elle s'abstint et poursuivit :

— Qu'est devenue la dernière bête ?

— J'y venais. Celle-ci revenait de droit au vieux Tom, un mâle de toute beauté. Il en a remplacé un autre devenu trop âgé pour la reproduction dans le cheptel d'un éleveur plus au nord. En échange, le remplacé a été débité en morceaux pour remplir les garde-manger de quelques familles dans la gêne. En échange encore, les trois premiers petits issus du nouveau géniteur ont été les trois premiers du troupeau d'un autre fermier désireux de se lancer dans l'élevage.

— Ce qui fait que nombre de familles et encore autant d'éleveurs et de fermiers doivent un service à Tom. Et je suppose qu'ils ne sont pas les seuls. Je comprends, et je comprends que cela suscite respect et gratitude, mais pourquoi le craignent-ils ?

— Réfléchis. Qui arpentait autrefois cette terre ? Qui en étaient les maîtres absolus ?

Elle ne chercha pas longtemps avant de comprendre.

— Les loups ?

— Oui, et l'équilibre de la meute est fragile, et si l'un des individus qui la composent enfreint les règles, il met en péril la survie de tous. Si un chien venait à s'y introduire, un seul, se faisant passer pour un loup, et qu'il fasse ce que sait faire un chien, dormir sans chasser, manger sans partager, vivre pour lui seul et prendre la part des autres, la meute serait à ce point affaiblie qu'elle serait dans l'incapacité de se reproduire et l'espèce disparaîtrait.

— Tom est le chef de meute ?

— Je ne crois pas, mais si Tom croise un chien, il lui suffit de siffler la meute pour que chaque individu se lance à ses trousses et…

— Lui rappelle les bonnes manières ?

— On peut dire ça comme ça.

L'ambiance d'un coup lui sembla empesée, alors pour l'alléger un peu elle objecta :

— Ce n'est pas aimable pour Mademoiselle, ce que tu racontes à propos des chiens.

Il se baissa pour caresser le bouledogue et répondre.

— Lui, c'est différent. Il est des nôtres.

— Des nôtres ?

— Tout comme toi, puisque tu es née ici, il ajouta.

Puis il se releva pour reprendre sa contemplation.

À la belle saison, de cette fenêtre, il pouvait voir la ferme de Sean et, bien plus loin, il devinait les contours floutés de la bourgade et ceux du Terminus qui la dominaient.

Mais seule la ferme de Sean l'intéressait.

Souvent, il restait planté là, à guetter dans les allées et venues de son voisin un geste, une expression, quelque chose qui ferait que son intuition se transforme en certitude et qu'il en finisse, enfin.

*

Lorsqu'il coupa le moteur de la motoneige, Twigs la Levrette jubilait, rien de moins. Au bout de sa barbe naissante pendaient des glaçons, mais de ça il se foutait. Son visage d'adolescent arborait un sourire goguenard même si passablement troué. Pelle en main, il parcourut quelques mètres, voilà il y était, restait plus qu'à déneiger le corps et l'emmener beaucoup plus loin. Ça lui prendrait quatre bonnes heures, mais après ça, il aurait effectué le boulot que lui avait confié Sean, ne craindrait plus rien ni personne et pourrait, tranquille, aller se faire dorloter au Terminus.

Mains posées sur le manche de la pelle, il lista les possibilités et arrêta son choix sur Leïla. Qu'elle ait un œil au beurre noir ne le dérangeait en rien, de toute manière il était rare qu'il dévisage les filles, et puis, pas facile de se caser avec un coquard. Elle serait donc libre pour qui arriverait tard. Il fut agréablement surpris par la logique de sa déduction, s'en frotta les mains gantées et commença à pelleter.

Pour y voir un peu plus clair, il avait ôté son masque de ski.

Bon, si le mort n'était pas là, il était un peu plus loin. Forcément !

151

Méthodiquement, il sonda du tranchant de la pelle chaque mètre carré jusqu'à ce qu'enfin le métal heurte quelque chose de résistant.

Voilà, il y était. Fini les ennuis et la peur.

Par ce froid, il suait, par ce froid perlaient sous ses aisselles des gouttes qui roulaient sur sa peau avant d'aller se perdre, diffuses, dans le coton de son maillot de corps et la crasse.

Il finit le boulot à la main, rejetant la neige sur les côtés, puis il saisit et tira, tira encore, jusqu'à ce qu'enfin il tombe à la renverse, le résultat de ses fouilles allongé sur lui, lové entre ses cuisses, posé sur son torse.

Sauf que le résultat ne ressemblait en rien à un cadavre, ne faisait pas même partie de l'ordre animal et le narguait sous la forme d'un tronc d'arbre gelé.

Il s'assit, pleura, jura tout son saoul et, d'entre les larmes, il lui semblait bien que le flash-back souvenir de tout à l'heure ne ressemblait en rien au paysage qu'il avait sous les yeux.

Foutue neige qui faisait que tout ressemble à tout.

Foutu pays.

— Foutu bordel de merde ! il gueula.

*

La neige faisait une pause, un pâle soleil perçait un ciel aussi blanc que s'il avait été fraîchement repeint.

152

Assise sur le canapé du salon, observant Nats, caressant du bout des doigts les alliances accrochées à la fine chaîne d'or et à son cou, Sarah fouillait sa mémoire. Les souvenirs de son enfance, ceux de son adolescence se refusaient encore. Elle ne s'inquiétait pas de cet état de fait, car si elle ne se rappelait pas la raison qui l'avait poussée à agir ainsi, elle se souvenait parfaitement de les avoir contraints à l'enfouissement.

Ce devait être une bonne raison.

Elle réalisait qu'elle se connaissait peu, réalisait du même coup qu'elle ne connaissait pas davantage Nats aujourd'hui qu'hier. Qu'il restait un mystère et qu'elle n'avait d'autre choix que de partir, ou rester et accepter. Nul ne pouvait le modifier. Et si la chose avait été possible, elle doutait d'en avoir envie.

Il prétendait que pour qu'une histoire fonctionne entre deux êtres, le mieux consistait à considérer que chacun était né à compter de leur rencontre. Ignorer le passé de l'autre, c'était se préserver de quantité de tentations malsaines, telles que la jalousie ou la comparaison.

Peut-être avait-il raison.

Lorsque, comme aujourd'hui, la météo était clémente, il se tenait comme à présent, debout derrière les carreaux de la fenêtre pour observer la ferme de Sean située quelques kilomètres plus loin. Dans ces moments-là, ses poings se fermaient comme des étaux et la colère semblait envahir tout son être, alors elle se tenait en retrait, parce que la colère de

Nats était contagieuse et engendrait dans la sienne, de tête, quantité de pensées qu'elle n'aimait pas.

De son côté, Nats faisait les comptes. Vingt-cinq ans le séparaient désormais des événements de la bicoque, il avait alors quinze ans et il avait erré quinze années encore avant que le hasard ne l'incite à se pointer dans ce coin du monde, voici cinq ans. D'après les dires de Sarah, Sean avait débarqué deux années avant qu'elle ne s'exile en ville, elle en avait vingt-six aujourd'hui. Le contremaître créchait donc dans les parages depuis un peu plus de dix ans et, tout comme son tortionnaire, il avait quelque chose comme une demi-décennie de plus que lui. Qu'est-ce que cela prouvait ? Rien, pensa-t-il, si ce n'est qu'il avait l'assurance que Sean ne se trouvait pas aux abords du Terminus quand il était entré dans la bicoque. Mais aussi bien, Sean avait pu être ailleurs cette nuit-là, n'importe où ailleurs et, de fait, ne pas être celui qu'il soupçonnait d'être.

Rien de rien, pensa-t-il, avant de reprendre son observation.

*

Twigs referma les portes coulissantes du garage avec fracas, il les réunit par une chaîne qu'il cadenassa.

Il alla vérifier que la porte de derrière était verrouillée à double tour, une fois, deux fois, puis il passa par la cabine vitrée qui lui servait de bureau pour sortir d'un tiroir un litre de gnôle et un verre qu'il remplit à ras bord.

Cul sec.

Bouteille et verre vide en main, il fit les quelques pas qui le séparaient du poêle trônant au centre du garage pour, du bout du pied, jouer de la pédale d'amorçage.

Il posa sa bouteille et son verre sur une chaise, celle qui toujours était placée là et sur laquelle il s'asseyait pour se réchauffer entre deux révisions de bagnole ou deux réparations de motoneige.

Il sortit de sa planque une boîte d'allumettes, en craqua une et présenta le bout enflammé sur la veilleuse du poêle, qui s'en empara. Puis il rangea la boîte, compta jusqu'à trente et tourna la vanne d'alimentation en huile de vidange. Le poêle se comporta comme à l'accoutumée : s'enflamma et frémit d'aise.

Il se resservit un verre.

Cul sec.

Il se laissa tomber sur la chaise, quitta ses gants, releva sa capuche, se pencha sur le poêle qui dégageait déjà une douce chaleur : réfléchir...

Et dire qu'il cherchait un mort que, de son vivant, il n'avait jamais connu.

Cul sec.

Mécaniquement, sa main extirpa de sa poche le paquet de cigarettes de l'extradé. Il s'en colla une au bec et l'alluma au poêle.

Il aspira une grande bouffée.

Toussa.

Cul sec.

Retoussa.

Pensa : mourir de ça ou d'autre chose…

Quitte à choisir, il préférerait que ce soit de ça plutôt que d'autre chose.

Pénombre

Debout, bras ballants, l'adolescent observait le corps sans vie de ce vieil homme, son père. Il chercha si quelque part dans le fond de son âme quelques sentiments existaient : regrets, compassion, tristesse... Il ne ressentit rien, à l'exception de cette vague peur du lendemain.

La pièce où reposait le cercueil ouvert, baignant dans le *Requiem* de Mozart, était saturée de fleurs, de gerbes déposées à proximité du défunt. Le pollen l'agressait, lui tirait des yeux les larmes de la bienséance.

C'était bien ainsi.

Il était beaucoup trop jeune pour formuler cette idée mais, confusément, Natsume sentait qu'il ne pouvait être tenu pour responsable de cette absence de chagrin. Pour aimer, il fallait être deux, et le vieil homme s'était toujours contenté de l'instruire, de l'éduquer, en se tenant à distance. Jamais il n'avait eu un geste d'affection, jamais un élan de tendresse, rien, jamais.

Le matin même, un proche du défunt, au cours d'un entretien empreint de solennité, lui avait demandé de faire sa valise, de ne prendre que le strict nécessaire. Désormais, il vivrait ailleurs. Une vague parente, une inconnue, était disposée à l'accueillir. Paraît qu'il avait de la chance parce que c'était mieux que l'orphelinat, beaucoup mieux.

Du bout des lèvres, il avait évoqué la possibilité que sa mère, peut-être, pourrait s'occuper de lui. L'homme lui avait ri au nez. Qui savait seulement où elle habitait, cette dévergondée, ou même si elle était encore en vie ?

Lui savait.

Mais il n'avait rien dit.

Il avait enfourné dans un sac à dos quelques fringues. Dans le double fond de la commode, il avait récupéré une photo. La seule qu'il possédait d'elle. La seule qui avait échappé aux recherches de son père, la seule qui avait échappé aux flammes. Puis il était descendu pour rendre un dernier hommage au défunt.

Marche après marche, il s'était demandé comment on s'y prenait pour pleurer lorsqu'on n'en avait aucune envie.

Depuis, Natsume regardait les fleurs d'une autre manière, comme d'aimables complices.

Il quitta la pièce, fit un détour par la cuisine pour ouvrir le réfrigérateur, les placards, et prélever de quoi se nourrir quelques jours. Il rangea le tout dans son sac et l'accrocha au portemanteau de l'entrée, à l'abri des regards, dissimulé derrière un pardessus.

C'était pas ce qui manquait, les pardessus, vu que la maison grouillait de pleureurs, vrais ou faux. Puis il se rendit dans le bureau de feu son père. Dans une boîte finement ouvragée posée sur le gigantesque meuble d'ébène, il récupéra les multiples récépissés des mandats que le vieux, une fois par mois, envoyait, et il tira et repoussa dans un ordre précis chacun des dix-huit tiroirs du monstrueux bureau. Un clic se fit entendre signalant que la trappe s'ouvrait. Elle était tout en longueur, affleurait à peine d'un angle à l'autre. Il l'ouvrit en grand et, une à une, il enfourna dans les poches de sa veste les liasses de billets enroulés et maintenus par des élastiques. Il en compta une trentaine.

Il prit soin de refermer la trappe, de refermer chaque tiroir, de remettre le sous-main à sa place, d'éteindre la lumière avant de sortir.

Repassant par l'entrée, il récupéra son sac et emprunta l'un des pardessus parce qu'il pensait que ça le vieillirait. Il lui allait, Natsume était grand pour son âge.

Frêle, mais grand.

Une fois dehors, il lut et relut l'adresse sur les mandats : celle de sa mère. Il la mémorisa et jeta les récépissés au caniveau.

Il faisait beau.

C'était l'été.

Il faisait chaud.

C'était à des milliers de kilomètres.

L'adresse mentionnait une ville située plus au nord. Il irait en autocar. Il avait l'impression que ce moyen de transport était plus discret que n'importe quel autre, que le train par exemple. Une idée tout droit sortie de nulle part, mais qui lui semblait judicieuse. Il prendrait soin de s'asseoir à côté d'une dame qu'on pourrait prendre pour sa mère, ou au pire pour sa grand-mère, ainsi il éviterait les questions embarrassantes. Marchant en direction de la gare routière, il déroula discrètement une liasse et préleva quelques billets, une dizaine. Il les glissa dans la poche de son pantalon et rangea le reste dans son sac. Natsume n'avait aucune notion de la valeur de l'argent. La chose ne dura pas, le guichetier lui tendit son ticket et, ronchonnant, lui rendit quantité d'autres billets contre un seul des siens. Il possédait de quoi voir venir, il le réalisa en grimpant dans le véhicule.

Il prit place derrière le chauffeur, dans l'angle mort du rétroviseur, puis il fit le compte de ses regrets, de ce qui lui manquerait du monde qu'il quittait. Une fois la semaine, sa mère s'asseyait au piano dans le petit salon et jouait des heures durant. Ses doigts allaient et venaient sur les touches, interprétaient du Bach, du Beethoven, du Liszt, du Berlioz... Quelquefois, lorsque le vieux s'enfermait dans son bureau pour travailler, elle se servait quelques verres et s'aventurait sur des chemins moins classiques, exécutait des airs de jazz. Lui se tenait debout, près d'elle, tournait les pages des partitions. Il appréciait ces moments-là, même s'il ne comprenait pas ce masque de gravité qui jamais ne la quittait. Elle n'était pas heureuse, il en était conscient. Il aurait voulu faire quelque chose, mais sourire ne suffisait pas, et la prendre dans ses bras, même s'il en avait envie, était contraire aux principes paternels. Le vieux contrôlait les sorties, les dépenses, la manière de se vêtir de chacun, il contrôlait tout à l'exception de ce qui lui échappait. L'amour. La tendresse. Quelquefois, elle lui déposait un baiser sur le front à la dérobée, lui passait la main dans les cheveux. De ces gestes-là, il se souvenait, et aussi de la seule fois où elle l'avait serré longuement contre sa poitrine. C'était un soir, elle lui avait offert un tourne-disque et quantité de trente-trois tours, ce n'était pourtant pas son anniversaire. Elle l'avait attiré à elle, l'avait enlacé sous le regard courroucé du vieux. Puis elle l'avait repoussé doucement, avait tenu son visage entre ses mains quelques instants et lui avait adressé un maigre sourire. Le lendemain, elle était partie. Et s'il avait pu garder le tourne-disque, les trente-trois tours, c'est qu'il les avait soustraits au regard du vieux, trop occupé à brûler les clichés et les effets de la « traîtresse » pour se préoccuper de ce détail. Depuis, l'appareil ne fonctionnait que lorsque le silence était total, signe que chef de maison et personnel avaient regagné leurs lits respectifs.

Il regretterait si peu.

Se disant cela, il se cala plus profondément dans son siège, et les paysages se succédèrent durant cinq heures qui lui semblèrent n'être qu'une poignée de minutes. Derrière les carreaux de l'autocar, il dévorait le monde des yeux, c'était la première fois qu'il voyageait et il sentait confusément qu'il en avait toujours eu le désir. Ici, des champs de blé se déroulaient à perte de vue, balançaient leurs épis au vent. Là, une maison de brique et de bois se perdait dans des terres marécageuses. Plus loin encore, la végétation se raréfiait pour laisser place à une terre argileuse sur laquelle la lumière semblait ricocher pour aller illuminer un ciel dépourvu de nuages.

Quand il serait adulte, Natsume serait voyageur professionnel. Il ne savait trop si le métier existait mais, après avoir méthodiquement analysé le plaisir qu'il ressentait à observer la route se dérouler devant le pare-brise, il en avait conclu que pourquoi pas.

Bercé par le roulis de la suspension, il somnola lorsque le soir vint et il ne réalisa être arrivé à destination que lorsqu'il foula le bitume d'un trottoir qu'il trouva amical.

Bon, maintenant qu'il était là, qu'il était descendu de l'autocar, qu'il faisait désormais nuit, il lui fallait trouver un hôtel ou quelque chose d'approchant pour louer une chambre. Avant de retrouver sa mère, il préférait repérer les lieux et l'observer. Ensuite, ensuite il aviserait.

Tout lui paraissait grand. Les immeubles s'envolaient sur des dizaines d'étages, flirtant avec les étoiles. Les rues étaient d'une largeur presque irréelle, saturées de véhicules qui klaxonnaient à qui mieux mieux. Jusqu'aux vitrines, qui crachaient sur les trottoirs des mètres et des mètres de lumière. Se joignaient aux crachats photogènes les projections des enseignes : s'allumant, s'éteignant, s'allumant…

Plus tard, le cœur léger, l'esprit débarrassé de toute crainte, conscient que nul ne pourrait le retrouver si toutefois ce « Nul » en avait même eu le désir, il entra dans un bistrot pour y boire un soda. Il le paya et, de son sac, il sortit de quoi se rassasier.

— On ne peut pas faire ça, lui fit remarquer le serveur.

— On peut pas faire quoi ?

— Consommer sur place d'autres aliments que ceux qui sortent de là-bas, répondit le serveur en pointant du doigt le passe-plat.

Il réunit rapidement ses affaires et s'apprêtait à sortir, mais :

— On ne peut pas faire ça non plus.

— Quoi ?

— S'en aller avec son soda. Ou alors il faut payer la consigne.

Il s'exécuta, paya pour la consigne, avança d'un pas, puis, revenant sur ce pas, il tapa sur l'épaule du serveur qui déjà nettoyait la table derrière laquelle il s'était assis.

— Et on peut loger pour quelques nuits ?

Le serveur le regarda rapidement de la tête aux pieds.

— Ça dépend.

— Avec un pourboire, ça dépendrait plus ?

Le serveur acquiesça et glissa discrètement dans la poche de son pantalon le billet du pourboire, puis il reprit son plateau en main pour se donner une contenance, et dit :

— Un garçon un peu plus âgé que toi, angle de la deuxième rue sur ta droite en sortant. Dépenaillé, les cheveux en pétard, pas vraiment punk mais pas loin. Tu ne peux pas le louper, et tu peux lui faire confiance.

Il ne le loupa pas, le trouva à l'endroit indiqué, assis sur une volée de marches en forme de perron, boîte de bière en main, cinq autres posées à ses pieds, élevées en pyramide : cinq vides.

Il approcha, se pencha sur lui, et dit :

— C'est pour loger.

Le jeune homme releva la tête sur laquelle une tignasse passée au gel explosait en de multiples mèches saignantes. Le jaugea du regard longuement, puis :

— Quel genre de piaule tu cherches ?

Natsume ne comprit pas la question.

— Tu fais dans le cinq-étoiles ou dans le taudis ?

— Un endroit propre, ça ira.

— Ma commission est de dix pour cent.

— Bien.

Lestement, il se leva, broya dans sa main la boîte de bière pour la déposer au-dessus de ses jumelles et, d'un coup de pied, il envoya valdinguer la pyramide avant de sourire du résultat épars, bruyant, et d'indiquer du doigt :

— C'est par là !

Natsume ajusta sa foulée sur la sienne pour marcher à ses côtés. Enfin, il s'y efforçait car, s'ils étaient à peu près du même âge, son compagnon de route était beaucoup plus grand que lui, de deux têtes minimum. Il n'avait de cesse de parler, un vrai moulin dont l'eau s'écoulait en continu.

164

— Je m'appelle Joé, mais personne ne m'appelle Joé. Ils m'appellent « La Dégotte » rapport au fait que je dégotte tout, tu vois ? « Ils », c'est le centre-ville. Fais gaffe à « Ils », ils ont le sourire sur la bouille et le couteau dans la poche, comme on dit. Ils ne sont pas tous comme ça, disons une bonne moitié. À bien y réfléchir, plus que ça, disons les trois quarts. Si tu as besoin de quelque chose, tu t'adresses à moi, quelle que soit cette chose : drogue, alcool, voiture, flingue, papiers d'identité… Tu veux une fusée, je te la livre avec les clés sur le tableau de bord. Et des femmes tant que tu veux, de toutes les couleurs : noires, blanches, jaunes… Tu as envie d'une Martienne, je t'en fais repeindre une en vert, aucun problème. Si tu préfères les garçons, je suis pas regardant, c'est ton affaire, mais c'est un peu plus cher. On va chez Mam'chat, on la surnomme comme ça à cause des chats bien sûr, mais t'inquiète pas ils grimpent pas à l'étage. Faudra que tu penses à fermer la lourde anti-chats, parce que Mam'chat ça la rendrait folle de rage si l'un de ses matous montait à l'étage, rapport à l'odeur qu'il y mettrait, et elle te foutrait dehors sans discussion. Faut comprendre, c'est son bizness la location de piaules. Des chats, elle en a plein. Y en a qui portent des noms marrants, d'autres non. Des fois, elle se trompe de nom de chat vu qu'elle y voit plus bien à cause de son âge avancé. Tu me diras que les chats s'en tapent, de leurs noms, et t'aurais bien raison. Laisse rien traîner dans ta piaule, pas d'argent, pas de papiers, elle n'est pas malhonnête, Mam'chat, mais faut pas la tenter non plus. D'ailleurs, faut tenter personne ici-bas, c'est mieux. Évite Sam, c'est un malsain qui crèche là depuis des piges et des piges. Lui, ce qui le fait bander, c'est les jeunes filles, très jeunes, du genre enfant, tu vois. Je suis pas regardant, mais y a des limites. Voilà, c'est ici, tu entres et tu dis que tu viens de ma part. Personne ne te posera de question. Pour les dix pour cent, c'est Mam'chat qui me les file, c'est notre deal, mais si t'avais un petit billet pour la course, j'aurais rien contre, il fait soif.

— Deux billets, si tu me dis où se trouve cette adresse.

— Envoie.

Il envoya les billets et l'adresse.

— C'est en banlieue, côté nord. Un sale endroit. On l'appelle le ghetto, c'est dire si c'est un sale endroit, mal famé comme pas permis. En comparaison, ici c'est le paradis, le jardin d'Éden, comme c'est écrit dans la Bible. Je l'ai pas lue, la Bible, mais je sais que c'est écrit dedans. Je crois pas à toutes ces conneries de toute façon, c'est de la purée pour les chiens, de la béquille pour type pas bien fini. J'y crois pas, mais sait-on jamais, alors je porte ça.

Il se pencha sur Natsume pour lui montrer un collier qu'il sortit des dessous de son tee-shirt.

— Le gars à qui je l'ai acheté en avait plein, avec dans la médaille toutes sortes de saints. Moi, je les connais pas tous, les saints. En fait, j'en connais qu'un, rapport au fait qu'il est accroché à quasi tous les rétroviseurs, taxis, autocars, mobylettes, tout ce qui roule sur cette foutue planète. Saint Christophe, il s'appelle. C'est le patron des voyageurs. Pas que je voyage, ça, non, les rares fois où je bouge mon cul du centre-ville, c'est pour ne pas trop m'en éloigner, c'est dire. Et la petite plume que tu vois là, le gars m'a certifié que c'était une plume d'ange. « Cent pour cent plume d'ange ! » qu'il a précisé. J'en ai pas cru un mot, mais comme je te l'ai déjà dit : sait-on jamais. Au fait, tu comptes y aller, dans le ghetto ?

— Demain.

— Je serais toi, j'irais pas tout seul. On gagne rien à fourrer son nez dans ce genre d'endroits si ce n'est des emmerdes à n'en plus finir ou se faire larder pour de la menue monnaie, ce qui revient au même, aussi sûr que deux et deux font quatre. Mais si malgré ça tu décides d'y foutre les pieds, pour y aller, rien de plus simple : tu prends le bus cent soixante-quinze. L'arrêt se trouve un peu plus bas dans la rue où t'es venu me chercher, pile sur le trottoir d'en face. Le trottoir d'en face, tu retiens ? Non parce que si t'inverses les trottoirs, t'inverses les arrêts de bus, et t'es bon pour faire un tour côté sud, et, là-bas, c'est pas la même limonade, ce serait même tout le contraire. C'est le coin des richards, les mômes y sont jolies, mais aucune chance qu'un gus comme toi leur mette la main dans la culotte ou la queue dans la bouche, c'est collet monté, guindé, pisse-froid et compagnie, sans parler qu'y a pas de bistrot, y a que des pavillons et…

— Merci, Joé.

— Pas de quoi, mon pote.

Joé partit à grandes enjambées dégingandées et Natsume savoura le silence avant de pousser la porte sur laquelle s'affichait en toutes lettres : PENSION DE FAMILLE, suivie de la mention : *Ici, on paye d'avance*.

Il sonna et entra.

Comme nom et prénom, il donna les premiers qui lui vinrent à l'esprit : David Vincent, résurgence d'une série télévisée intitulée *Les Envahisseurs* qu'il regardait lorsque le vieux était en voyage d'affaires ou ne se trouvait pas dans les parages immédiats.

La logeuse n'y trouva pas matière à rire, pas même à sourire, et écrivit sur un registre d'une main tremblante et fripée lesdits nom et prénom, cependant que, d'une voix monocorde, elle listait les devoirs et obligations que se devait de suivre et de respecter toute personne logeant sous son toit.

Une fois sa litanie achevée, elle lui tendit les clés et ne les lâcha pas avant que, d'un signe de tête, il acquiesce, signe qu'il acceptait le règlement.

Il navigua entre les chats qui, en population dense, occupaient le salon. En repoussa quelques-uns du bout du pied, leur interdisant ainsi l'accès à l'escalier menant à l'étage, et il referma soigneusement la porte derrière lui.

Dans le couloir distribuant les chambres, il croisa un homme qui se fendit d'un bonsoir sans chaleur. Il y répondit sur le même ton.

Joé avait dit vrai, les lieux étaient propres et, pour qui s'attachait davantage au côté pratique qu'à la décoration, ils étaient idéaux. De la décoration, Natsume s'en foutait. Ici une commode pour ranger son linge, là une penderie, plus loin un secrétaire et sa chaise, contre le mur, le lit et sa table de chevet. À droite, une porte s'ouvrait sur une salle de bains pourvue d'une douche et d'un lavabo. Les toilettes étaient séparées par une paroi à mi-hauteur. L'ensemble lui convenait. Lui convenait d'autant plus qu'il n'avait aucun élément de comparaison si ce n'était la chambre dans laquelle il avait grandi et qu'il n'avait jamais quittée, pas même pour une nuit.

Il posa son sac sur le lit, verrouilla la porte et se déshabilla rapidement pour se glisser sous la douche en essayant de ne penser à rien.

Il y parvint.

Longtemps.

Il se sécha avec une serviette, se frictionnant le dos en allers-retours, tissu éponge tendu entre les mains. Un geste qu'il ne commettrait bientôt plus.

Plus tard, il s'allongea en serrant dans ses bras d'adolescent sa veste bourrée de liasses de billets, tenant entre ses doigts la photo qu'il avait désormais pliée afin que seul le visage de sa mère reste visible. Observant l'icône, le sommeil l'embarqua.

Plus tard, il rêva de longs voyages en autocar, d'horizons infinis, de paysages aussi changeants que pouvait l'être la mer lorsqu'elle s'y mettait, une mer qu'il ne connaissait que sur photos.

Au matin, alors que la lumière s'était glissée dans la chambre depuis longtemps déjà. Clarté chaude et orangée, lueur de printemps qui annonce une journée ensoleillée. Alors que le réveil trônant sur la table de chevet affichait 11 heures, brodait le temps à coups d'aiguilles, et vu qu'il venait de s'envoyer dix heures de sommeil d'affilée, qu'il se sentait en pleine forme, il s'arracha du lit d'un bond. Se brossant les dents, il se répéta encore et encore l'adresse qu'il avait en tête comme si elle risquait d'en sortir.

Il irait aujourd'hui.

Il prendrait le bus cent soixante-quinze, comme l'avait indiqué Joé.

Ensuite... Ensuite il improviserait.

Il se demanda maintes fois quelles sortes de sentiments il éprouverait en revoyant cette femme, sa mère, qu'il connaissait si peu. Mais peut-être n'en ressentirait-il aucun, peut-être qu'il se faisait des idées, que dans le fond les liens du sang ne valaient rien... Sans ça, il aurait pleuré à la mort du vieux, ou, pour le moins, il en aurait eu envie.

Mais peut-être encore qu'elle le prendrait dans ses bras, qu'elle le serrerait contre elle, qu'elle lui raconterait qu'elle n'avait pas eu le choix, que ça lui avait déchiré le cœur et les tripes de le laisser derrière elle. Alors, ils rattraperaient le temps perdu. Ils effaceraient le passé et voyageraient ensemble.

Il en avait les moyens.

Il se vêtit rapidement et se contraignit à ne plus imaginer leur rencontre ni rien d'autre si ce n'était improviser, faire au mieux.

170

Sur le chemin le menant à l'arrêt de bus, il s'offrit un casse-croûte qu'il dévora tout en marchant. Il sentait les liasses de billets enroulés alourdir ses poches, il n'aimait pas l'idée de se balader avec autant d'argent sur lui mais il n'avait osé les laisser dans sa chambre. À l'exception d'une seule planquée dans une paire de chaussettes, pliée, nichée au fond de son sac.

Sa bonne humeur était flagrante. Il souriait, il sifflotait. Rien, pensait-il, ne pouvait venir entacher ni briser son optimisme. C'était vraiment une belle journée, et il lui semblait bien, même si son expérience était nulle en la matière, que c'était une belle ville aussi.

Il attendit le bus un bon quart d'heure. Il se présenta au loin, carlingue rutilante sous le soleil comme celle d'un zinc de comptoir sous une rangée de spots, et se rangea à sa hauteur, portes grandes ouvertes.

Une main le saisit par le coude alors qu'il grimpait les marches, et au bout de cette main-là se trouvaient Joé et sa maigre figure.

— Tu croyais pas que j'allais te laisser y aller seul ? Ce serait pas raisonnable, et puis ce serait une belle connerie, de celles qu'on ne fait qu'une fois, tu vois ?

En un sens, c'est mieux ainsi, songea Natsume tandis que, après avoir acheté les billets, les avoir compostés sous l'œil éberlué de Joé dont ce ne devait pas être l'habitude de payer ses trajets, ils avaient pris place au fond du bus. Moins tranquille comme voyage, mais mieux.

— Je me suis levé ce matin et je me suis dit comme ça : tu peux pas le laisser faire ça, Joé. Alors je suis venu et je t'ai attendu. Pas que je peux te protéger, non, ça non, t'as vu comme je suis balancé. « Aussi épais qu'une feuille de cigarette », il disait, mon paternel. Il avait de l'humour, mon paternel. Mais je peux te guider. On se marrait bien, tous les deux, avec mon paternel, avant qu'il se mette dans l'idée de battre le record du monde d'absorption de boisson qui dérouille le foie. Fallait voir ce qu'il s'envoyait, même un pipeline pompait moins de litres à l'heure. Alors, forcément, il en est mort, et c'était pas beau à voir, ça tu peux me croire. Pour souffrir, sûr qu'il a souffert, le paternel, et comme personne encore. Le médecin, il disait que c'était pas la peine de lui filer à boire, que ça faisait qu'accélérer les choses, sauf que moi, je voyais bien que ça lui disait bien, au paternel, d'accélérer les choses, précisément. Alors, en douce, je lui filais sa dose pour pas qu'il voie des trucs étranges, des rats, des araignées, des trucs comme ça. Sans blague, qui aurait envie de s'embarquer pour le paradis avec des rats, des araignées, des trucs comme ça ? Quoique m'est avis que s'il a fait le chemin jusque-là, c'était peine perdue, jusqu'au paradis je veux dire. M'est avis qu'arrivé là-bas, il a dû trouver portail clos et pas mal d'anges qui lui tournaient le dos. Et sûrement que, voyant ça, il a dû redescendre d'un étage, peut-être même de deux. Non parce que, le paternel, pour dire la vérité vraie, c'était pas un enfant de chœur, et des bondieuseries, il s'en branlait comme de sa première chemise. De toute façon, il a jamais porté de chemise.

Natsume, la joue posée contre la vitre, écoutait d'une oreille distraite les pérégrinations verbales de son compagnon de voyage. Sa pensée s'attachait à l'agréable impression qu'il ressentait en observant les paysages urbains inconnus. Décidément, la sensation de la découverte l'émerveillait.

— Après la mort du paternel, bien sûr, plus rien n'était pareil. Moi, de mère, j'en ai jamais eu, alors il a fallu que je me démerde. T'as une mère, toi ?

— Je crois.

— Tu crois ? Tu veux dire par là que comme tout le monde t'en as une, mais que tu l'as jamais vue ? Ou alors que t'en as une mais qu'elle te fait tellement honte que tu veux plus en entendre parler ? Non parce que je comprendrais, je connais un mec qui vit ça. Faut dire que sa mère elle tapine, et pas sur les trottoirs des richards, alors… alors ça se comprend. Qu'il l'aime pas, je veux dire. Si encore elle se faisait trousser par la haute qui lui laisserait pas mal de blé, là, forcément, ce serait différent.

Les immeubles se raréfièrent, cédèrent peu à peu la place à un autre genre de constructions : précaires, insalubres, souvent de guingois, réparées à l'aide de matériaux de fortune. Sur les perrons se tenait une populace dont les vêtements affichaient la pauvreté. Loin de troubler Natsume, cette vision rehaussait encore son émerveillement.

— On n'est plus très loin maintenant, plus que deux arrêts. Ce que je me demande bien, c'est qu'est-ce qu'un mec comme toi est venu foutre ici ? Alors ça, vrai que je me le demande. T'as pas l'air de manquer de pognon, mon pote, ce qui fait que c'est pas un quartier pour toi. Doit y avoir une bonne raison. Ouais, une sacrée bonne raison. Ça me regarde pas, tu me diras, et t'aurais pas tort, n'empêche, je préférerais être sûr que t'es pas venu régler des comptes ou un truc du même style, parce que, si c'était le cas, sûr qu'on n'en sortirait pas vivants, ou alors tellement fracassés qu'on aurait plus qu'à se compter les abattis avant d'aller faire la manche aux quatre coins de la ville.

— Je suis pas venu régler des comptes.

— Tant mieux ! J'ai eu le temps de prévenir personne d'où j'allais, et si jamais ça tournait mal, on aurait plus qu'à compter sur la chance et sur rien d'autre. Et la chance, ici, elle court pas les rues. Ce serait même pile le contraire. Voilà, on y est. Tu joues pas les provocateurs, tu marches tête baissée et si on te cause, tu me laisses répondre. Je déconne pas, mon pote, la misère, ça pousse n'importe quel gentil à devenir teigneux.

Descendant du bus pour fouler le trottoir défoncé, Natsume acquiesça.

Ils marchèrent quelques mètres et s'assirent à même le trottoir, dissimulés derrière une poubelle géante débordant d'ordures. De là, Natsume examinait les lieux avec attention.

— Et maintenant, qu'est-ce qu'on fait ? demanda Joé.

— On attend et on observe.

— À ta guise mon pote, mais vu que ça risque de durer pas mal, m'en vais chercher quelques boîtes histoire de tuer le temps. Y a une épicerie pas loin, je connais le type qui la tient, un gras du bide qu'a pas inventé la poudre et encore moins le savon, mais, question bières, il est à son affaire. Sauf que j'ai pas une tune.

Natsume lui remit un billet, qu'il empocha aussi vite que si la rue, vide de surcroît, s'apprêtait à se jeter dessus.

— Je serai pas long, il dit.

Et il s'éclipsa, laissant Natsume tout à son observation.

*

La maison de bois tenait davantage de la bicoque. Elle semblait avoir été posée là plutôt que construite, et ce depuis bien des années. Comme beaucoup de ses consœurs s'alignant de part en part de la rue étroite, elle avait subi nombre de réparations à l'aide de matériaux de fortune : plaques de tôle ondulée, bouts de film plastique en remplacement des carreaux, panneaux de tous genres et de toutes matières cloués ici et là, ce qui lui conférait un air de misérable bric-à-brac. La façade se prolongeait par un petit jardin en friche où oscillaient mollement des herbes roussies par le soleil. Une allée de

175

gravier menait à un perron auquel il manquait une marche sur trois.

À voir le tableau, Natsume doutait qu'elle fût habitée.

Il avait vérifié la présence des noms sur la boîte aux lettres, il y en avait deux dont un était féminin : celui des mandats. La boîte aux lettres était vide de prospectus et de courrier. Alors sûrement que quelqu'un la vidait. À moins qu'ici les prospectus ignorent les boîtes aux lettres pour la simple et bonne raison qu'aucun client potentiel ne s'y trouvait, ou que les distributeurs ne s'aventurent plus dans le coin de peur de s'y faire égorger, ou pire.

Il en était là de ses réflexions lorsque Joé, pack de bières au bout de chaque bras, apparut au bout de la rue. Natsume regretta de ne pas lui avoir commandé un soda. Le soleil cognait fort et il avait soif.

Quelques minutes plus tard, n'y tenant plus, il décapsula une boîte et la porta à ses lèvres. C'était une première. Le liquide était glacé, amer, bulleux, pas désagréable. Après ça, la tête lui tourna : pas désagréable non plus.

Et la matinée s'étira en après-midi, et l'après-midi en début de soirée. Et, selon Joé, qui n'avait pendant tout ce temps pas cessé de parler, sauf lorsqu'il était retourné chercher d'autres bières, il était temps de se tirer.

Et toujours, rien ne bougeait dans la bicoque d'en face.

Et toujours, selon Joé, rien n'y bougerait jamais.

176

Natsume se faisait à l'idée de vivre seul. Dans le fond, c'était pas si déplaisant et, avec l'argent qu'il avait dans les poches, il pourrait en prendre, des autocars, et en voir du pays, d'autres paysages, d'autres villes, non, vraiment, c'était pas si déplaisant. Et il se leva avec la ferme intention de prendre le large dès le lendemain.

Non moins fermement, une main lui saisit la nuque, une autre main, la nuque de Joé. Et ces mains se serrèrent tels des étaux et les poussèrent en avant, les contraignant à traverser la rue, à gravir le perron, et encore à entrer dans la bicoque dont la porte s'ouvrit des suites d'un coup de botte. Ils finirent l'un et l'autre face contre le plancher, maintenus par deux genoux lourdement posés sur leurs reins.

— Et maintenant vous allez me dire ce que les deux lopettes que vous êtes fichent depuis des heures à mater de ce côté-ci ?

Natsume, joue plaquée contre le plancher, ne voyait rien, ses reins lui faisaient mal. Joé gueulait tout ce qu'il savait, résonna un coup sec et Joé régurgita ses bières et ne gueula plus. Nats tenta de tourner la tête, essaya de se dégager, mais en vain, puis il prit conscience que dans son champ de vision se tenait une femme.

Elle était attablée derrière une bouteille et encore derrière un verre qu'elle remplissait, le regard absent. Il chercha si ce visage vide d'émotion réveillait des souvenirs. Bouffi par l'alcool, il n'exprimait qu'indifférence et passivité, il ne voyait pas la scène se jouant sous ses yeux ou feignait de l'ignorer.

— Je t'ai posé une question ! hurla la voix.

Natsume ne répondit pas et, pour tout dire, il n'entendit pas. Son regard venait enfin d'accrocher celui dont il imaginait à présent qu'il pouvait appartenir à l'auteure de ses jours. Elle avait changé de position, et cette manière d'incliner la tête, ces traits, même si passablement ravagés, cette façon de se tenir... Tout dans sa posture, dans son expression et dans son allure, le renvoyait à la photographie qu'il possédait d'elle.

Dédaigneuse, elle soutint son regard, puis, comme on revient à la réalité avec difficulté, elle fronça les sourcils. Bientôt une lueur s'installa au cœur de ses pupilles, lueur fragile mais néanmoins durable. Elle battit des paupières, sa moue se fit dubitative et, non sans mal, elle se leva pour, mains posées à plat sur la table, scruter la figure de l'adolescent. Quelques instants plus tard, sa bouche s'arrondit, ses sourcils se froncèrent davantage. Titubante, elle contourna sa chaise. Vacillante, elle enjamba le corps inanimé de Joé pour venir s'agenouiller et poser une main agitée de tremblement sur une joue mouillée de larmes tandis que l'homme accentuait davantage sa pression.

Natsume connaissait cette jupe, pan de tissu fleuri à présent défraîchi qu'elle portait le jour où elle s'en était allée.

— Comment tu t'appelles ? elle demanda.

— Qu'est-ce qu'on en a à foutre, de son blase ? objecta l'homme.

— Natsume, il répondit dans un souffle.

178

Elle retira soudain sa main, comme si le contact de la joue de l'adolescent lui brûlait désormais les doigts, et se releva. Son visage se ferma, elle se tourna vers l'homme.

— Lâche-le ! ordonna-t-elle.

Un moment de flottement s'ensuivit, pendant lequel Natsume put prendre une longue respiration car son agresseur, désarçonné par la demande et le ton de celle-ci, ne fut plus tout à fait à son affaire.

— Que je…

— Lâche-le !

— Depuis quand tu me donnes des ordres ?

— Lâche-le ou je…

— Ou quoi ? Qu'est-ce que t'en as à foutre, de ce gamin, toi qui te fous de tout et de tout le monde ?

— C'est… C'est différent.

— Qu'est-ce qui est différent ?

Elle sembla chercher ses mots un moment, hésita, soupira comme on se résigne et ses mains cessèrent de trembler. Elle fit volte-face, regagna la table, en tira le tiroir et fourragea à l'intérieur tandis que l'homme observait ses gestes. Du moins, c'est ce qu'imaginait Natsume, car, s'il pouvait la voir elle, joue toujours plaquée contre le plancher, genou posé sur les reins, incapable de bouger, il ne pouvait le voir lui.

— Qu'est-ce que tu cherches ?

— De quoi te régler ton compte.

— Encore une menace du genre et tu vas le regretter. Côté cuir ou côté manche ? C'est toi qui choisis.

Elle ignora la menace pour se retourner, couteau en main.

— Pour la dernière fois, lâche-le !

— Putain, là tu dérailles, je…

Il n'acheva pas sa phrase, elle avançait sur lui et tout dans son expression indiquait qu'elle ne céderait pas.

D'un revers de bras, l'homme la balaya sitôt qu'elle se trouva à sa portée, comme s'il s'était agi de se débarrasser d'un insecte gênant. Elle encaissa le coup en plein ventre, recula, buta contre le corps de Joé, perdit l'équilibre, lâcha la lame et alla s'écrouler un peu plus loin, suffocante, adossée contre l'un des pieds de la table.

Avant de s'évanouir, elle secoua la tête en signe de négation à l'adresse de Natsume. Mais aussi bien, ce pouvait être simple interprétation de sa part, conjecture d'un esprit d'adolescent saturé de crainte, noyé de peur.

L'homme lui accorda un dernier regard et se pencha sur son prisonnier. Son nez lui touchait la nuque, le souffle de sa voix flirtait avec sa peau.

— Et toi, tu vas me dire qui elle est pour toi et qui tu es pour elle. Et comme pour elle quand ça lui prend de sortir des clous, mes clous, je te laisse le choix : côté cuir ou côté manche ?

— …

— Tu ne réponds pas ? Aucune importance, je déciderai pour toi plus tard. D'abord les préliminaires, ce serait dommage de t'en priver.

Il allongea le bras jusqu'au tiroir béant et se saisit d'une cordelette.

Tandis que les mains dans son dos lui liaient les poignets, Natsume ne cessait de la regarder. Affalée, ramassée sur elle-même telle une poupée désarticulée, elle offrait au regard un pan de sa culotte, son entrejambe sous une jupe fanée et désorganisée. Cette vision obscène l'incita à se débattre, mais en vain.

L'homme le releva sans ménagement pour le précipiter dans l'escalier conduisant au sous-sol.

Ce faisant, il gueula :

— Allons-y pour les préliminaires.

Atterrissant quelques marches plus bas, face contre le ciment sale et brut, une odeur de moisissure envahit ses narines, une odeur que jamais il n'oublierait.

L'homme posa un genou à terre et se pencha sur lui, le faible éclairage de la pièce ne permettait pas à Natsume de distinguer les traits de son visage.

— Le deal est simple : tu te tais, je frappe. Tu me dis ce que ton pote et toi êtes venus foutre ici, et surtout pour quelle raison elle a pris ta défense et disons... disons que je réfléchis.

L'homme le remit debout et le retourna de façon que son torse vienne se plaquer contre son dos. Il se pencha à son oreille.

— Alors ?

Natsume ferma les yeux, serra les dents. Par un dodelinement de tête, elle l'avait engagé au silence. Il ne répondit pas.

L'homme le repoussa pour le rouer de coups. Il frappait dur, il frappait sûr, tournant autour de lui, dansant, et, malgré les tentatives de Natsume pour esquiver les coups, les poings de l'homme trouvaient leur chemin dans la pénombre de la cave. Les mains liées, il ne pouvait se protéger. Il encaissa, uppercuts, directs, crochets, tout y passa.

Une côte craqua dans sa poitrine, bile et sang lui envahirent la bouche, il fléchit, s'agenouilla et vomit.

— Alors ? redemanda l'homme.

Natsume hoqueta, urina dans son pantalon et, entre deux pleurs, parce que la douleur dans sa poitrine lui était insupportable, qu'il redoutait que l'homme recommence, il céda et avoua.

— C'est ma mère.

L'homme tira un tabouret de bois, dégagea d'un revers de main le bric-à-brac se trouvant dessus et s'assit. Il resta ainsi de longues minutes, avant-bras posés sur ses cuisses, penché vers le sol, immobile, tête légèrement inclinée et soustraite de la faible lumière. Puis il se leva et s'approcha.

— T'as une preuve de ça ?

Natsume, toujours à genoux, toujours pleurnichant, agita la tête en signe de négation.

La main de l'homme lui saisit les cheveux, l'obligeant à relever la tête, le contraignant à regarder cet autre poing qui, à une vitesse vertigineuse, vint lui fracasser le nez, lui exploser une arcade sourcilière. Il tomba après l'impact et le temps sembla ne plus être qu'un visage féminin muant de la beauté mélancolique à la congestion alcoolique, se métamorphosant de l'intérêt affectueux à la rébellion. Le suppliant, d'un dernier mouvement de tête, de garder le silence. C'est à peine s'il entendit :

— Si tu dis vrai, elle va le regretter.

Les marches de l'escalier grincèrent, une porte se verrouilla, la voix de l'homme s'éleva quelque part au-dessus de lui. S'il n'en saisit pas les mots, il en saisit pleinement le ton menaçant, et ce fut le noir.

Plus tard, il sortit des limbes intemporels et cauchemardesques pour réaliser que ses poignets étaient joints, liés et maintenus haut par une corde nouée à une poutre. À ses pieds, étendu de tout son long, Joé respirait avec difficulté. De ce que pouvait en distinguer Natsume, il était salement amoché. Plus loin, assis sur le tabouret, l'homme craqua une allumette et porta la flamme au bout d'une cigarette. L'espace d'un instant, il aperçut son visage. Assez pour s'en faire une idée, trop peu pour le mémoriser pleinement. L'homme avala une longue bouffée, la recracha en volutes épaisses et, du bout de sa cibiche, il désigna le corps inanimé.

— C'est un vrai moulin à paroles, ton pote. Mais rien qui m'intéresse. Quant à l'autre, là-haut, il a fallu que je l'y aide un peu, mais elle a fini par tout déballer.

Posément, il finit sa cigarette et en alluma une autre avec le bout incandescent de la précédente.

Natsume était désormais torse nu, il chercha du regard sa veste qu'il découvrit reposant sur le béton à côté de sa chemise, roulée en boule.

— Puisque c'est la journée des confidences, je vais t'en faire une. Un fils, j'aurais bien aimé en avoir un, mais avec ce qu'elle écluse, c'est fausse couche sur fausse couche.

Il se leva.

— Alors je ne lui ai plus filé un sou, mais elle se débrouillait. À présent, je comprends comment. Elle m'a dit pour les mandats.

Et s'approcha.

— Puis j'ai acheté ça pour lui faire passer le goût de l'alcool.

Il plaça sous le nez de Natsume un fouet au long manche de métal et aux lanières de cuir effilées.

— À ce propos, elle m'a confié qu'elle préférait côté cuir que côté manche. Pour toi, je veux dire. Elle, elle a goûté aux deux.

Il le contourna, une fois, deux fois, trois fois, puis il stoppa net pour se figer derrière lui. Son souffle était court, sa colère palpable.

— Je vais respecter son souhait, parce que le dernier souhait d'une mourante, c'est sacré.

Les doigts de l'homme palpèrent son dos.

— Je la croyais insensible. Pour tout te dire, je pensais, jusqu'à ce soir, qu'elle était incapable d'aimer, que rien ne l'atteignait. Rien ne l'atteint, c'est vrai, si ce n'est ta souffrance.

Les doigts de l'homme se retirèrent de son dos et les lanières du fouet s'abattirent comme autant de lames de rasoir, une première fois. La douleur expurgea de son estomac ce qui ne s'y trouvait déjà plus en un liquide visqueux et sanguin, puis le fouet s'abattit de nouveau.

Se balançait au bout de son fil une ampoule nue, et se balançait encore, faible lumière allongeant les ombres à l'infini, à chaque impact de cuir, lui ouvrant le dos de déchirures supplémentaires.

Sa rage était froide, implacable, déterminée. Il restait indifférent aux pleurs, aux suppliques de Natsume et, inexorablement, il abattait son fouet en répétant, jubilant :

— Si ce n'est ta souffrance.

Il s'évanouit de nouveau alors que son dos s'ouvrait d'une énième plaie et que le ciment de la cave virait au rouge.

Régulièrement, il s'arrachait de sa léthargie dans une quinte de toux. La position dans laquelle l'homme l'avait suspendu lui comprimait le thorax, lui interdisant de respirer à son aise lorsque ses jambes ne trouvaient plus la force de le soutenir. Dans ces moments-là, il apercevait au travers d'une brume de douleur et de peur son tortionnaire grillant une cigarette sur son tabouret ou assénant un coup de pied à Joé s'il faisait mine de s'animer, marchant et jurant en tournant autour de lui... Jusqu'à ce qu'un autre coup de fouet le fasse repartir dans des limbes où des images s'entrechoquaient anarchiquement : séquences de l'enfance, paysages défilant derrière les fenêtres d'un autocar, vieil homme reposant dans son cercueil, mains douces et fragiles pressant les touches d'un piano, et tout ce qui avait jusque-là composé son existence.

Il perdit la notion du temps, qui s'étiola tout comme sa chair à vif.

Puis, entre deux évanouissements et après un énième coup de fouet, il sentit vaguement que l'homme lui relevait la tête en l'attrapant par les cheveux pour coller son nez contre le sien. L'image était floue, lui interdisant toute perception réelle. Et tanguèrent devant son regard mouillé une liasse de billets enroulés, puis une autre.

— J'ai trouvé ça, dit l'homme. Joli pactole. Alors je vais te laisser crever là. Ça ne devrait pas tarder.

Et l'homme rit.

Sa tête retomba contre son torse et l'obscurité s'installa, aussi noire qu'une nuit sans astre.

Un peu plus tard, il ne sentit pas son corps rejoindre le sol, et les heures s'égrainèrent.

Au sortir de sa léthargie comateuse, il était roulé en boule, sa chair était au supplice. Une odeur saturait la cave de sa pestilence, mélange de vomi et d'urine, elle s'unissait désormais à celle de la moisissure. Ses mains étaient toujours liées et l'ampoule nue ne brillait plus. Il cligna des yeux plusieurs fois avant de s'habituer à la pénombre de la cave, toussa, cracha, expurgea le peu de liquide que son corps meurtri possédait encore, puis, longuement, il écouta.

La bicoque était silencieuse.

Plusieurs minutes s'écoulèrent avant que son souffle ne se fasse régulier, avant qu'il n'impose à son esprit de relativiser la douleur. Il se haussa sur un coude, sa chair nue entra en contact avec un objet glacé, la lame d'un couteau. Il se retourna et la découvrit, gisante et sans respiration. Son visage n'était qu'ecchymoses et plaies, méconnaissable, au milieu duquel deux lèvres boursouflées semblaient s'illustrer d'un discret sourire. Elle avait puisé dans ses dernières forces pour gagner la cave et le libérer. Avant de s'en aller définitivement, le laissant seul, une fois encore.

Il détacha son regard avec peine, écouta encore le silence, puis il se saisit du couteau et frotta ses liens contre le tranchant de la lame.

Libéré, il se traîna jusqu'à Joé mais, pour Joé comme pour elle, il était trop tard. Ses paupières étaient grandes ouvertes, son regard était immobile, vide de toute vie. La langue lui sortait de la bouche, bleue, épaisse. Sa maigre figure se couvrait de vomissures et de sang.

Assis, recroquevillé, terrorisé, bras autour de ses jambes, toujours attentif au moindre son, craignant que l'homme ne revienne, il attendit, tremblant, que le jour se lève. Il avait recouvert le visage de sa mère de sa chemise, linceul de fortune, suaire rouge d'hémoglobine.

Lorsqu'elle l'avait étreint, la veille de son départ, elle lui avait murmuré à l'oreille une seule phrase, comme une excuse :

— Sois différent, tiens tes promesses.

D'un signe de tête, elle l'avait engagé à se taire et lui n'avait pas tenu sa promesse. La peur, la douleur l'avaient contraint à parler.

L'issue aurait-elle été différente s'il avait eu le courage de se taire ?

Cette question, Natsume se la poserait sa vie durant.

Il cessa de pleurer et la source se tarit à jamais.

Enfin, par le soupirail, le petit matin bascula sa clarté. Se redressant, titubant, il ramassa et enfila sa veste en retenant un râle, il devait être assez svelte pour sortir côté lumière. Ce qu'il fit après avoir accordé un dernier regard à ce corps qui n'avait plus rien de féminin ni d'humain et après avoir récupéré le collier de Joé baignant dans les restes de bière et d'humeurs.

Sur le chemin qui le mena à l'arrêt de bus, mille fois il se retourna de peur d'être suivi et rattrapé, mille fois il espéra que le cent soixante-quinze serait là.

Il y était, alors il prit place au fond du véhicule, penché en avant, coudes posés sur ses genoux, se tassant pour se dissimuler derrière le dossier d'un siège, priant pour qu'enfin le chauffeur ferme les portes et démarre.

Plus tard, alors que les bidonvilles devenaient immeubles sagement alignés, il réalisa que ses poches étaient vides. Lui revinrent en mémoire le visage indistinct de l'homme se penchant sur lui et les mots qu'il avait prononcés.

Entre deux pertes de conscience, il passa le collier de Joé à son cou et esquissa un portrait à même la vitre de l'autocar. Du bout du doigt, avec son sang.

S'ensuivraient d'autres portraits.

Des centaines.

188

Il parvint, après que le bus l'eut déposé à l'arrêt et encore après une marche dont chaque pas lui coûta un râle de douleur, à regagner sa chambre. Il prit une douche en serrant entre ses dents un gant de toilette plié en quatre. L'eau se teinta de rouge avant de s'enrouler en un tourbillon vermeil, bulleux, et de disparaître, gargouillante. Dans le placard de la salle de bains, il trouva le strict nécessaire : une bouteille d'alcool à quatre-vingt-dix degrés ; des bandelettes. Il s'agenouilla, serra un peu plus fort le gant de toilette et, d'une main tremblante, il versa le contenu de la bouteille sur ses plaies. La salle de bains tourna à une cadence vertigineuse, ses mains étreignirent le lavabo jusqu'à rendre blanches les articulations de ses doigts.

Longtemps il resta ainsi, gant de toilette entre les mâchoires et lavabo en mains. Et c'est dans cette position que monta du fond de ses entrailles un sentiment qu'il ne connaissait pas encore : de la rage à n'en plus finir.

Quelques jours plus tard, la rage se mua en une haine implacable, aussi froide que de l'acier trempé.

Il se nourrit des provisions prélevées dans les placards de la maison familiale, pour l'essentiel des gâteaux secs. Il se rationna jusqu'à ce qu'enfin il puisse bouger sans que ses plaies menacent de se rouvrir. Il envisagea toutes les possibilités, dont celle qui consistait à acheter un flingue avec l'argent qu'il lui restait et à débarquer dans la bicoque pour faire un carton. Il écarta toutes les possibilités car toutes, pour réussir, reposaient sur un axiome qu'il savait désormais obsolète : la présence de l'homme. Cela devait déjà faire quelque temps qu'il s'en était allé, les poches pleines de son argent, abandonnant derrière lui une vie de misère émaillée d'au moins deux meurtres.

Sans parler qu'à l'heure qu'il était, les lieux devaient grouiller de flics.

Il était temps de partir.

Il préleva de la liasse un billet pour régler la chambre, un autre pour s'acheter des fringues. Dans son pantalon neuf, il glissa le restant en se promettant de ne plus y toucher jusqu'au jour où. Puis il prit un autocar pour le Sud, la saison de la cueillette commençait. Il y trouverait du travail, de quoi se nourrir, se vêtir, ensuite…

Ensuite il aviserait.

L'enfant de la meute

Saleté de pays où tout manque, ou manque surtout une pharmacie.

La neige avait cessé de tomber depuis quelques jours et même si elle n'avait pas disparu, même si, tenace, elle s'accrochait au paysage, le redoux s'annonçait. Les corbeaux avaient délaissé leur immobilité et repris leur activité de corbeaux. Les pick-up étaient sortis de leurs abris pour remplacer les moto-neiges. Dans les forêts, les hurlements des tronçonneuses redoublaient.

La belle saison, bientôt.

Tandis que Nats déposait la marmite sur la table, Sarah dit, provocatrice :

— J'ai du retard. J'espère que ce sera un garçon et qu'il te ressemblera.

Il marqua un temps d'arrêt tandis qu'elle l'observait.

— Tu ne prends pas la pilule ?

— Non. J'ai oublié de te prévenir, désolée.

Disant cela, elle mesura à quel point son silence pouvait être mal perçu alors que, simplement, elle n'avait jamais pensé à lui en parler jusqu'à aujourd'hui.

— Pour ma part, j'espère que ce sera une fille et qu'elle sera aussi rousse que sa mère, il répondit en s'asseyant.

Voilà, c'était tout Nats, ça. Rien ne le désarmait jamais.

— Tu serais bien le premier homme de la région à désirer une fille plutôt qu'un garçon.

— Une fille, c'est toujours un salaud de moins sur cette terre.

Comment ne pas aimer un type comme ça ?

— Ne t'emballe pas. J'ai du retard pour l'instant, et voilà tout.

— Dommage.

Comment ne pas… ?

— C'était juste pour te prévenir que nous prenons des risques chaque fois que nous faisons l'amour.

— Autant dire qu'on en prend trois fois par jour.

Elle compta sur ses doigts, en conclut que :

— Aujourd'hui ça ne fait que deux fois.

— Finis ton assiette alors, qu'on se risque à l'étage.

Comment… ?

*

Twigs la Levrette ne passait pas inaperçu depuis que, calée sur une épaule, une pelle l'accompagnait

192

dans chacun de ses déplacements. Certains racontaient même qu'ils l'avaient surpris en train de causer à sa pelle. Sans parler de cette manie qu'il avait de tâter du bout de ladite pelle chaque parcelle de neige rencontrée. Et de la neige, malgré le redoux, c'était pas ce qui manquait dans le coin.

Il ne dormait plus à l'étage dans sa chambre mais près du poêle dans le garage, sur un lit de camp, enroulé dans un duvet. Il avait avancé son réveil de deux heures et, chaque matin, avant de se mettre au boulot, il allait sonder la neige environnante muni d'une carte sur laquelle, après ses fouilles infructueuses, il traçait une croix rouge sur les lieux visités.

Avec toutes ces croix, la carte prenait peu à peu des allures de plan, celui d'un vaste cimetière.

Twigs fumait cigarette sur cigarette et avait recommencé à pisser au lit, comme à cette époque honnie où une armée de frangins se foutait de sa gueule à ce propos et à tout bout de champ.

Et Twigs, baignant dans l'urine, s'émerveillait chaque matin d'être encore de ce monde.

Et racontait à sa pelle son émerveillement.

Et redoutait la journée à venir.

*

Il rentrait ivre.

Elle le savait parce que, dans ces moments-là, la porte s'ouvrait différemment : d'un coup de botte.

Elle repoussa les couvertures et bondit hors du lit. À la hâte, elle jeta sur ses épaules un châle, sortit et traversa le couloir pour aller verrouiller à double tour la chambre des enfants. La clé, elle la planqua comme elle en avait l'habitude : derrière une plinthe branlante, puis elle attendit en priant le ciel, les dieux et une tripotée de saints qu'il ait déjà cogné quelqu'un ce soir. S'il avait son saoul de violence, alors peut-être qu'elle y échapperait.

Son visage se dessina en haut des marches.

Il n'avait encore cogné personne. Sans ça, il n'aurait pas ce sourire-là.

Elle ferma les yeux et attendit qu'il s'approche, attendit le premier coup.

Ne pas se révolter, ne pas geindre, sinon la sentence serait double, ne pas crier pour ne pas effrayer les enfants, ne pas pleurer, se rouler en boule, ne pas dire où se trouvait la clé, encaisser, jusqu'à ce que l'esprit se détache de son corps et s'évanouisse.

*

Nez collé au carreau de la fenêtre de la cuisine, mains dans le dos, debout, Mademoiselle allongé à ses pieds, Nats s'interrogeait. Le regard attaché à la ferme de Sean, loin là-bas, il se demandait dans quelles poches passaient les bénéfices du Terminus. Une fois soustraits les frais de fonctionnement des différentes structures, les salaires des employés, les dix pour cent qui revenaient au contremaître et la part du percepteur, le solde représentait un paquet d'oseille. Que pouvait en faire le type, si toutefois il était seul, qui les encaissait ? Et qui était-il ?

La rumeur disait que si quelqu'un connaissait l'identité du grand patron, ce ne pouvait être que le vieux Tom. Mais les on-dit ne trouvaient leur origine que dans la crainte et le respect qu'inspirait le vieil homme. Rien de plus. Car, si la curiosité des uns et des autres à ce propos était aiguë, elle n'était rien comparée à celle du vieil homme.

Nats était bien placé pour le savoir. Au début de leur rencontre, le vieux Tom l'avait incité mille fois à lui décrire le fonctionnement du Terminus afin d'y découvrir l'indice qui le mettrait sur la voie.

Mais à l'issue de leurs discussions, le vieux Tom abandonnait, refermait son carnet, à la fois contrarié et admiratif devant l'ingéniosité du système.

Le système ne semblait posséder aucune faille.

Il mit un terme à son vagabondage de souvenirs. De toute façon, cette information ne l'aiderait pas dans son « travail ». Même si, à n'en pas douter, c'était sur ordre du patron que Sean avait été recruté.

Il en était là de ses réflexions lorsque Sarah le rejoignit pour prendre sa main dans la sienne et lui signaler qu'ils étaient attendus. Il acquiesça et délaissa son poste de vigie.

Au passage, ils se vêtirent et, ensemble, Mademoiselle sur les talons, ils se rendirent au hangar où attendait un pick-up d'un autre âge.

— Le pick-up de Tom, s'étonna-t-elle.

— Le mien depuis quelques années.

— C'est curieux de voir les objets réapparaître au moment où on s'y attend le moins.

— S'il n'y avait que les objets.

Elle ignora la remarque, à quoi bon troubler une si belle journée par des questions qui resteraient sans réponse.

Une fois qu'ils furent installés dans l'habitacle, alors qu'il lançait le démarreur, elle précisa que son oncle l'avait prévenue que Nats aurait à faire une livraison après le repas.

Le moteur vrombit, heureux de sortir de dix mois de léthargie.

Pour ce qui était de la livraison, c'était tant mieux parce que l'argent commençait à manquer. Il le lui dit.

Elle ne lui signala pas que, de l'argent, il en avait un gros paquet rangé dans une boîte au fond du vaisselier. Elle avait déjà abordé le sujet, lui avait demandé ce qu'une telle somme pouvait bien faire là et pourquoi il ne l'employait pas pour s'offrir une vraie salle de bains ou n'importe quoi d'autre qui lui aurait fait plaisir.

Il s'était contenté de répondre que la liasse était réservée à un autre usage.

— Quel autre usage ?

— Aucune importance.

Elle n'avait pas insisté. Depuis leur dernière conversation, elle s'efforçait de n'insister qu'en cas d'extrême curiosité. L'unique priorité était désormais celle qui lui poussait dans le ventre, l'avenir. Et de convaincre Nats qu'élever un enfant dans ce coin-ci du monde était irresponsable, que la ville était une solution, pour ne pas dire LA solution.

196

Il s'y opposait, prétextait qu'il avait par le passé expérimenté la cité. Il la comparait à un chenil où chacun des pensionnaires devait d'une façon ou d'une autre rentrer dans la cage.

Il y perdrait sa liberté, disait-il.

Elle le soupçonnait de ne pas l'aimer assez pour lui concéder un pan de liberté. Elle le soupçonnait d'aimer cette terre plus que les natifs. Elle soupçonnait qu'entre la ribambelle de choses dont il ne parlait jamais s'en nichait une, obsessionnelle, qu'il nommait le « travail », qu'il n'échangerait pas, qu'il n'oublierait pas, ni pour elle ni pour quiconque.

Ses mains se saisirent de sa chevelure rousse, l'enroulèrent en un chignon d'où s'échappaient nombre de mèches. Elle récupéra un trombone qui traînait dans la boîte à gants, l'ouvrit en le maintenant entre ses dents, puis elle s'en servit comme d'une épingle.

Observant le résultat dans la glace du pare-soleil, elle dit :

— J'ai envie d'un bouquet de fleurs.

— Alors allons chercher un bouquet de fleurs.

Ce qu'elle était belle la nuque dégagée.

Il le lui fit remarquer.

Elle ignora le compliment pour l'informer qu'elle soutenait sa thèse dans moins de trois mois. Est-ce qu'il l'accompagnerait ?

Il l'accompagnerait pour quelques jours !

Elle espérait qu'une fois sur place, quand son ventre s'arrondirait pour n'être plus que bulle de vie à véhiculer au travers des innombrables rues de la cité, il se rendrait à l'évidence. Qu'il comprendrait enfin et accepterait le confort qu'offrait une société moderne pour éduquer un enfant. Un être dont la fragilité, la dépendance et l'innocence effaçaient toute autre prérogative.

Le paysage défilait, uniformément blanc, à l'exception des taches noires disparates que formaient les corbeaux qui, posés ici et là, fouillaient inlassablement la neige de leurs becs en quête de quelques vermines éveillées par le dégel.

Elle posa la tête sur son épaule tandis que lui replongeait dans ses pensées.

Il en fut ainsi pendant quelques kilomètres, il en fut ainsi jusqu'à ce qu'il revienne à la réalité qui, en salopette crasseuse, se tenait sur le bas-côté de la route, alignant autant de trous dans la neige que s'il s'était agi de transformer les lieux en terrain de golf géant.

De justesse, il évita de percuter la réalité.

Quant à la réalité, elle, elle semblait ne s'être rendu compte de rien, tout affairée qu'elle était à creuser un énième trou.

*

Elle reprit connaissance, ses paupières papillonnèrent le temps que sa vue s'adapte à la pénombre. Elle se redressa, s'assit, et, d'un bout de jupe, essuya le sperme qui lui coulait entre les cuisses.

198

Lui ronflait un peu plus loin, allongé sur le plancher.

D'un doigt, elle fouilla sa bouche pour en sortir un éclat de dent couvert de sang. Elle l'observa longuement, cracha la salive vermeille qui lui encombrait la langue, l'observa de nouveau et l'observant encore, éclat de dent sanguinolent, se dit, se répéta comme pour s'en convaincre :

— Tu n'as pas mérité ça, Marthe !

Prenant appui sur l'assise d'une chaise, péniblement elle se leva. Sa respiration était saccadée, son souffle court, son corps n'était plus que souffrance. Elle posa la main sous son sein gauche, ses doigts pressèrent la chair, elle étouffa un cri de douleur. Il n'avait pas fait les choses à moitié. Courbée, traînant d'une main mal assurée la chaise derrière elle, à petits pas elle gagna le bout du couloir. Une fois là, elle positionna la chaise de telle sorte qu'elle puisse grimper dessus et fouiller le haut de l'armoire. Ce qu'elle fit avec précaution et lenteur. Elle y trouva ce qu'elle cherchait, descendit, glissa dans le fusil deux cartouches, arma les chiens et revint sur ses pas.

Elle sourit en posant le canon de l'arme sur la tempe de Sean.

Se répéta encore :

— Tu n'as pas mérité ça, Marthe !

Son doigt chercha la gâchette, la trouva, la serra, hésita à la presser, hésita encore, hésita trop longtemps.

Le fusil lui tomba des mains.

Elle alla récupérer la clé, ouvrit la chambre des enfants et dit simplement :

— Habillez-vous, on s'en va.

*

Une voiture venait de le frôler, de justesse elle évita de l'embarquer pour l'autre monde. Twigs ne l'avait même pas remarquée.

C'était pourtant pas ce qui courait les routes, les voitures...

Encore que le terme « route » pour définir une travée blanche plus ou moins distincte du paysage était inapproprié.

Il contempla le terrain perforé où s'alignaient de multiples petits tas de neige, vérifia *de visu* la distance séparant chaque trou, moins de cinquante centimètres, autant dire que rien n'avait pu lui échapper. Il sortit la carte de sa poche, le marqueur rouge et, capuchon en bouche, il ajouta une énième croix. Il vérifia l'heure au cadran de sa montre : 10 heures passées. Il était en retard pour ouvrir le garage.

Si jamais on le questionnait, il dirait simplement que, que...

Il jura entre ses dents, recapuchonna son marqueur, rengaina sa carte, attrapa sa pelle et prit le chemin de la bourgade.

Pendant les dix minutes que dura le trajet, Twigs marmonna quantité de phrases incompréhensibles si ce n'était pour lui-même. Il y était question de malchance, de coup du destin, des méchancetés que la vie vous réserve et encore un tas de déboires du genre, tous plus injustes les uns que les autres, tous plus mesquins.

Sa pelle, il la portait sur l'épaule, marchait courbé tel un forçat revenant d'une journée de labeur à casser des tonnes de cailloux.

Sauf que, comme déjà dit, il était 10 heures passées.

Qu'il fallait ouvrir le garage.

Et procéder à quelques révisions de moteurs.

Il s'arrêta un instant pour observer un arbre qui tendait ses branches au travers du ciel bleu. À leurs extrémités, les monticules de neige fondaient en autant de gouttes qui, *plop* après *plop*, lui rappelaient que le temps lui était compté.

Si seulement le monde avait été aussi simple qu'une transmission de bagnole ou qu'une série de soupapes à régler, ou n'importe quoi d'autre, même plus compliqué : une avance à l'allumage par exemple. Si seulement…

Tiens, qu'est-ce qu'il aurait pas donné pour…

Il cessa là ses réflexions et reprit sa marche.

Plus loin, il croisa Nats et Sarah qui sortaient du supermarché. Elle avait entre les mains un bouquet de fleurs, et lui, la tenant par la taille, souriait.

Ça le dérangeait.

Du bout de l'index, il suivit le tranchant de sa pelle.

Mais qu'est-ce qui le dérangeait ?

Il était émoussé, le tranchant.

La beauté de Sarah peut-être ?

Il ne tranchait plus du tout, le tranchant.

Ou le sourire de Nats ?

Il jeta sa pelle et entra dans le supermarché. En guise de bonjour, il balança un : « Surtout ferme ta gueule, Léon. »

Léon, derrière sa caisse enregistreuse, noyé dans ses cent trente kilos de plis et de graisse posés sur une chaise tout exprès faite pour les supporter, ne releva pas.

Il ne broncha pas davantage lorsque Twigs, armé d'une pelle flambant neuve, lui signala que c'était à mettre sur sa note.

Il se contenta de rallonger la note d'un article.

C'est à peine s'il pensa que trente pelles en deux mois, c'était beaucoup.

En marge de la note, il écrivit : « Commander des pelles », et son regard se raccrocha à la minitélé pour y suivre un feuilleton où les applaudissements et les rires en *off* composaient l'essentiel du scénario.

Une fois dehors, Twigs comprit ce qui le dérangeait en voyant monter Nats et Sarah dans le pick-up.

Ce qui le dérangeait, c'est qu'ils étaient beaux tous les deux, beaux ensemble, de cette beauté qui faisait que comme qui dirait elle n'avait rien à foutre là, la beauté. Un peu comme si une tache de couleur s'immisçait dans le paysage noir et blanc.

Il les enviait.

Ils étaient aussi beaux qu'une pelle toute neuve.

Il les enviait.

Mais il ne les envia pas plus que ça parce que le boulot allait pas se faire sans lui, ni la neige se creuser toute seule.

*

Penché sur une vanne de son alambic, le vieux Tom fronçait les sourcils, le mouchard qui s'en extirpait avait cessé son goutte-à-goutte. Il fit rouler son fauteuil jusqu'à la caisse à outils, fouilla bruyamment dedans. Quelques instants plus tard, il trouva ce qu'il cherchait. Il posa l'outil sur ses genoux et revint s'occuper de la vanne défaillante. L'alambic était sous pression, le défaut mécanique discret, presque insignifiant, mais mieux valait s'en occuper de suite avant que tout lui pète à la gueule. Il régla les mâchoires de la clé à molette autour de l'écrou placé sous la vanne, tira vers lui. L'écrou fit un quart de tour, le goutte-à-goutte revint, l'aiguille de la jauge de pression frétilla puis cessa de flirter avec la zone rouge pour aller faire un tour dans la zone orangée. Satisfait, le vieux Tom alla reposer l'outil à sa place et passa en cuisine pour ouvrir le four, arroser le rôti et les pommes de terre qui surnageaient dans la graisse.

Pour des questions pratiques, le vieux Tom rôtissait tout. Le four était à sa portée, c'était plus commode et moins dangereux que de jouer de la casserole sur le poêle.

Il referma la porte du four, accrocha sur la poignée de celui-ci la longue cuillère de fer-blanc et fit rouler son fauteuil jusqu'au vaisselier pour en ouvrir un tiroir, en sortir un épais registre et, stylo en main, se livrer à une série de calculs. Au résultat, il conclut que si les commandes en gnôle du Terminus poursuivaient la même courbe ascendante, la matière première pour la fabriquer viendrait à manquer d'ici un mois, deux au grand maximum. Il roula jusqu'à son bureau et décrocha son téléphone, insista : il serait livré « dès que les routes le permettraient. Mais bon Dieu, qu'est-ce qu'il consommait comme pommes de terre ». Si tous les clients étaient comme lui, « ce serait la pénurie, sûr ! ».

Il raccrocha.

Des bords du toit dégringolaient des gouttes dans le chéneau, pour se rassembler en un flux qui, après quelques mètres de gouttière, remplissait une citerne.

Il en ferait bientôt vérifier le niveau par Nats. La neige ne disparaîtrait jamais complètement du toit avant qu'elle ne se décide à tomber à nouveau, mais sait-on jamais. L'eau était aussi indispensable à la fabrication de la gnôle que la matière première.

Un moteur ronronnait au loin, s'approchait. Bientôt, le pick-up de Nats se gara dans la cour, pile devant les fenêtres du salon.

Le vieux Tom sourit en regardant descendre le couple de l'antiquité roulante. Il resta un moment ainsi, puis il alla sortir deux verres du buffet et les posa sur la table avant de les remplir de gnôle dernier cru. L'avis de Nats lui était précieux, sur ce sujet-là comme sur beaucoup d'autres.

Plus tard, alors qu'ils trinquaient, alors que Sarah chantonnait, faux comme à son habitude, en dressant la table autour d'un bouquet de fleurs en vase, Mademoiselle descendit prestement du canapé, oreilles dressées, sens en alerte. Un autre bruit de moteur se faisait entendre.

— Tu attends quelqu'un ? demanda Sarah.

Le vieux Tom secoua la tête, négatif.

Un pick-up se gara tout près de celui de Nats.

— Qui est-ce ?

— Des emmerdes, répondit Nats en allant ouvrir la porte.

Sur le seuil se tenait Marthe, serrant sa fille contre elle, son petit garçon niché dans ses jupes. Elle était salement amochée, respirait avec peine, des larmes lui envahissaient le visage. Elle avança d'un pas. Nats la rattrapa avant qu'elle ne s'écroule.

— Des emmerdes, comme tu dis, confirma le vieux Tom avant d'inviter les mômes à entrer.

*

Sur le gros Léon, il n'y avait pas grand-chose à dire. Il était toujours à son poste. Ses journées, il les passait derrière sa caisse enregistreuse et encore derrière sa minitélé. Il ne se déplaçait jamais, ne mettait jamais le nez dehors, c'était à croire qu'il dormait sur place. Il passait les commandes par téléphone, n'aidait pas à décharger les camions ; quant à la mise en place dans les rayons, il payait un commis pour ça et gueulait si ça lui convenait pas. Et c'étaient les rares moments où il causait. Sa surcharge pondérale était due en partie à son inertie et en partie au fait qu'il se goinfrait de tout, de sucreries surtout, toute la journée. On aurait pu, au vu de son comportement, le croire simple d'esprit, mais comme jamais personne n'avait réussi à le rouler question pognon, qu'il faisait marcher le supermarché depuis des lustres, on ne doutait pas qu'il sache compter, et bien.

On ne lui connaissait aucune fréquentation, pas davantage d'amis, et ses tentatives pour débaucher l'une des filles du Terminus afin qu'elle lui rende visite de temps à autre s'étaient révélées vaines. Toutes s'y refusaient, et ce malgré l'insistance de Sean. C'est dire…

Sean qui, pour l'instant, accoudé au comptoir sur lequel reposaient la caisse enregistreuse et quantité de paquets de friandises ouverts et en passe de n'être plus qu'emballages vides, le questionnait :

— Tu n'aurais pas vu Marthe et les gosses, ce matin ?

Le gros Léon remua la tête pour dire que non.

— Tu en es certain ?

Il agita la tête de nouveau.

Sean n'insista pas et sortit pour se diriger d'un pas lourd vers le garage.

Lorsqu'il s'était réveillé, l'esprit vaseux et le corps allongé à même le plancher, la maison était silencieuse. Il en avait fouillé toutes les pièces, mais rien, si ce n'était un fusil gisant au sol et plus de pick-up dans la cour. Les kilomètres qui le séparaient du Terminus, il les avait couverts à pied.

Marchant, il prononçait des « Salope » à n'en plus finir et fulminait. Et c'est ainsi que Twigs, qui s'en grillait une sur sa chaise, le vit arriver. Il se leva tel un ressort, lâcha sa cigarette et, le visage blême, serra machinalement le manche de sa pelle, si bien qu'on aurait dit un fossoyeur. En une autre occasion, la singularité du tableau n'aurait pas manqué d'échapper à Sean, mais :

— Marthe et les gosses sont passés par ici ?

— Pas vus.

Le regard de Sean fit le tour du garage, s'arrêta sur le pick-up nouvellement révisé.

— Tu n'as pas besoin de ta caisse aujourd'hui ?

— C'est-à-dire que…

— Que tu n'en as pas besoin.

Twigs n'insista pas. De toute façon, Sean avait déjà pris place derrière le volant et lançait le moteur.

Son pantalon se mouillant de pisse, Twigs regarda s'éloigner le seul moyen qu'il avait de se tirer de ce merdier. Il en aurait bien chialé, mais des larmes, il n'en avait plus. À croire que tout s'écoulait désormais par le bas.

De sa poche humide, il sortit sa carte, l'observa un long moment et, dans le silence du garage, il murmura :

— Peut-être bien à l'est, alors.

Et, traînant sa pelle plus qu'il ne la portait, oubliant de fermer les portes du garage, il prit la direction de l'est.

207

Il passa le museau hors du terrier dans lequel il avait trouvé refuge et ouvrit grand les naseaux. Porté par le vent, un bouquet d'odeurs l'assaillit. Certaines qu'il connaissait déjà, celles de la mort et du sang, d'autres qu'il ignorait jusque-là, celles des hommes et de la poudre. Rampant, il sortit de sa cachette puis il marcha sur la neige salie de rouge. À son approche, les corbeaux s'envolèrent pour aller se poser plus loin et poursuivre, indifférents, leur besogne de charognards. Un à un il renifla les corps déshabillés de leurs fourrures, carcasses sanguinolentes et sans vie qui parsemaient la plaine. Il s'attarda près de celle qui hier encore le nourrissait de son lait, se coucha près d'elle, gueule posée entre ses pattes. Il resta ainsi jusqu'à ce que la nuit tombe, que lentement elle s'écoule, qu'aussi lentement le jour se lève et baigne à nouveau le monde d'une lumière sans éclat. Alors il se leva et huma l'air.

Quelques instants plus tard, il prit la direction du nord, celle opposée au massacre.

Sans la meute pour le protéger et le nourrir, sa vie ne tenait plus qu'à un fil, ténu, fragile, que son esprit dématérialisait pour insuffler dans chaque partie de sa chair de la crainte, de la peur.

Mais l'instinct de survie.

Celui-là même qui faisait qu'un autre corps se redressa, aussi chétif que le sien, et se mettait sur ses pattes pour, à distance, marcher dans ses empreintes.

*

Le sujet de la thèse de Sarah lui était apparu évident à la suite d'un échange avec l'un des professeurs de l'université. Malgré ses efforts pour les dissimuler, il avait découvert ses origines et, après son cours, ils avaient discuté de l'absence d'étude sociologique sur cette partie du monde. Le froid, la neige omniprésente, l'isolement devaient, à son sens, considérablement modifier les comportements sociaux des individus vivant là. Comme rien n'avait encore été écrit à ce propos, et qu'elle était issue de cette exception, ce serait d'évidence plus facile pour elle que pour tout autre de se fondre dans la masse, d'observer et de rendre compte.

Ce n'était pas plus facile, et, pour tout dire, si elle savait qu'un milieu hostile engendrait, de fait, plus de violence, elle ne l'avait pas totalement réalisé jusqu'à ce que Marthe toque à la porte de Tom.

Les enfants aussi étaient couverts de bleus et de cicatrices. La jeune fille surtout, et elle n'osait imaginer les autres supplices que lui avait fait subir son père.

Elle en avait parlé à Nats, il prétendait qu'elle emmêlait tout, qu'elle s'égarait.

Sous-entendu : « Ne mélange pas les chiens avec les loups, Sarah. Sean est un chien, pas l'un des nôtres. Par conséquent, il ne peut pas faire partie de ta thèse. »

Pour leur offrir un peu de ciel bleu dans toute cette grisaille, elle avait changé de sujet. Lui avait confié sa certitude d'être enceinte.

— C'est, comment dire... Je n'ai pas besoin d'une autre confirmation que celle que me donne mon corps. Je le sens dans tout mon être.

D'un coup, toute ride avait déserté le visage de Nats et il avait souri d'une façon qu'elle ne lui connaissait pas, figure débarrassée, pour un instant, de toute préoccupation.

Mais à présent, observant la réalité dans ce qu'elle avait de pire, elle doutait à la fois de son désir de maternité, de sa compétence à devenir mère, de son aptitude à protéger l'enfant à naître.

Les mômes avaient tous deux le regard absent. L'aînée, assise sur une chaise près du poêle, dos voûté sous son épais pull de laine, visage moitié enfoui dans sa longue chevelure brune, mains jointes et glissées entre ses cuisses, semblait avoir fui cette réalité pour s'en fabriquer une autre, située quelque part au-delà des murs, de la neige et du froid. Coin de cervelle aménagé d'un monde qui en aucune manière ne devait ressembler à celui qu'elle connaissait. Son jean était trop grand pour elle, aux pieds, elle portait des Moon Boots aux motifs enfantins, trop puérils pour une adolescente. Le benjamin, attablé devant un verre de lait chaud que lui avait servi Sarah, tournait sa cuillère mollement, coude sur la table et joue posée dans la paume de sa main. Son visage n'exprimait rien, ni colère ni tristesse, rien d'autre si ce n'est l'indifférence de l'habitude.

Marthe n'avait pas pris le temps de bien le vêtir dans sa fuite, il était débraillé. De dessous son pull débordait son sweat-shirt, son pantalon n'était pas rentré dans ses bottes, le bonnet qu'il portait était simplement posé sur sa tête.

Leur mère dormait à l'étage, Nats l'avait portée jusqu'à la chambre. Puis, assisté de Sarah, il l'avait déshabillée. Sa chair était enflée, couverte d'ecchymoses violacées, parsemée de cicatrices plus anciennes. Son visage ne valait pas mieux : arcades sourcilières fendues, lèvres au triple de leur volume, œil au beurre noir : un de chaque côté. Elle s'était laissé faire sans un mot et sans pudeur, fermant les yeux tandis que les mains de Nats palpaient son corps, que Sarah déposait sur son front bouillant une serviette humide et glacée.

— On l'emmène à l'hôpital ? elle avait demandé alors qu'ils descendaient l'escalier.

— Pour quelques côtes cassées, c'est inutile. Le voyage la ferait souffrir inutilement et elle n'y serait pas mieux soignée qu'ici.

— Comment peux-tu être certain qu'elle n'a que quelques côtes cassées ?

— Disons que j'ai l'habitude.

Elle se tenait derrière lui. Elle lui saisit l'épaule et tira, l'obligeant à se retourner, l'obligeant à la regarder.

— J'aimerais, de temps en temps, Natsume, je ne dis pas tout le temps, non, je ne rêve pas, mais juste de temps en temps, que tu répondes aux questions que je te pose.

Il sourit de lire dans ses yeux la colère naissante, mais sentit qu'elle n'en démordrait pas.

— J'étais garde-putes avant, et, des filles qui se faisaient dérouiller par un client, ça arrivait souvent. Contente ?

Elle ouvrit les yeux en grand, battit des cils, se pinça les lèvres et sa main relâcha son étreinte. Il en profita pour descendre une marche, puis les suivantes.

Dans son dos, elle dit :

— Je préfère ne pas savoir ce qu'est un garde-putes.

— Je n'avais pas l'intention de te l'expliquer, il rétorqua.

Elle haussa les épaules et le rejoignit au bas de l'escalier. Elle se laissa prendre par la taille, se laissa embrasser dans le cou, se serra contre lui et murmura :

— Quel genre de monstre peut faire ça à sa femme ? À ses enfants ?

Il ne répondit pas. Qu'y avait-il à répondre ? Et puis, il y avait plus urgent que de tenter d'expliquer la nature humaine dans tout ce qu'elle a de mauvais, alors il enfila sa veste.

— Où vas-tu ?

— Planquer sa voiture dans le hangar. Inutile d'indiquer à Sean où se trouvent Marthe et les gosses.

Avant de déplacer le pick-up, Nats préleva dans la boîte à gants du sien son flingue, vérifia qu'il était chargé et le glissa dans l'échancrure de son jean. L'acier froid posé entre ses reins déclencha un frisson qui lui parcourut l'échine, il l'ignora et alla ouvrir les portes du hangar. Une fois le pick-up à l'abri des regards, il referma les portes, les cadenassa et se saisit de la pelle à neige pour reboucher les ornières creusées par les roues du véhicule. Il reposa l'outil à sa place, contre le mur, et se pencha pour inspecter le résultat. Rien ne laissait deviner que des roues avaient marqué la neige, à moins d'avoir le nez dessus. Il rejoignit le centre de la cour, tourna doucement sur lui-même, la main posée en visière sur le front, scrutant le paysage, tout avait l'air si paisible.

Il jeta un coup d'œil sur Mademoiselle qui, indifférent au monde, allait et venait, grattant la neige ici, reniflant là, signe que rien ne clochait.

Au loin, un hurlement se fit entendre.

Nats se figea. D'un geste, il intima l'ordre à Mademoiselle de cesser tout grognement. Le bouledogue se tut. Contrit, mais docile.

Un second hurlement perça l'opaque atmosphère. C'était celui d'un jeune mâle. De ça, Nats était certain.

Un loup revenait. Quoi que l'on fasse, quels que soient les agissements des hommes, leur implacable bêtise à vouloir toujours tout s'approprier, tout détruire, la nature tôt ou tard reprend le dessus, il songea.

Une neige fine commença à dégringoler des cieux. Ce qu'il n'avait pu dissimuler des empreintes de pneu, elle s'en chargerait.

Rassuré, il rentra.

Tous étaient attablés, l'attendaient pour manger. Il tira une chaise et prit place à côté de Sarah. D'un signe de tête, il avertit le vieux Tom que tout était pour le mieux et s'occupa de sa tranche de rôti.

Le silence était épais, quasi palpable, seul le bruit des mastications le troublait, et plus loin les croassements des corbeaux.

Au dessert, l'adolescente releva sa frimousse de son assiette, dit :

— Il viendra nous chercher. Je sais qu'il viendra.

Nats hésita, mais mentir ne servait à rien, pas même à la rassurer. Il confirma :

— Il viendra, oui.

Elle le dévisagea puis, sans rien ajouter, elle se leva de table pour regagner sa chaise près du poêle et y prendre la même position que précédemment. Elle n'avait pas touché à son repas.

— Il viendra et il repartira comme il est venu, seul.

Disant ça, le vieux Tom avait cet air sérieux que lui connaissait Nats, moue fermée qui signifiait qu'il en serait ainsi et que le sujet était clos.

*

— ... Dix-sept, dix-huit, dix-neuf, vingt, vingt et un.

Le cul posé sur un arbre couché, les bottes plantées dans la neige, Twigs comptait ses trous pour, méthodiquement, langue collée sur la lèvre

214

supérieure, les reporter en autant de croix sur sa carte. Carte qui désormais était saturée desdites croix, à tel point que le bon Dieu n'y aurait pas retrouvé son petit.

Il se gratta la tête, rajusta sa casquette et recompta. Ce coup-ci, il en trouva vingt-deux, ça collait pas. Il recommença : vingt et un. Parfait.

Compter et recompter n'empêchait pas Twigs de se torturer les méninges pour tenter de se souvenir de cette foutue nuit. Tout son cerveau s'y consacrait, turbinait en permanence telle une locomotive allant chercher ses wagons-souvenirs pour les tirer en plein jour et se les observer sous toutes les coutures.

— Vingt et un, il répéta.

Un pick-up passa à proximité. Il ne se retourna pas pour avoir confirmation, le bruit de ce moteur-là, il le connaissait par cœur pour être le sien.

Il alluma une cigarette.

Encore plus à l'est peut-être ?

*

Assis à la table du fond, mains posées à plat sur ses genoux, immobile, le regard errant sur la meute qui bruyamment s'agitait derrière le comptoir, Sean ne décolérait pas. Une heure qu'il était là à se demander où cette garce avait pu foutre le camp. Les remords, la culpabilité n'avaient jamais encombré l'esprit de Sean. Qu'un homme dérouille sa femme, ses enfants, lui semblait naturel, inhérent

215

à la vie de famille, en d'autres termes : essentiel à une relation saine. Son père faisait ça, lui ne s'en était jamais plaint. Sauf cette fois où il y avait mis un terme définitif.

Il évacua de son esprit la comparaison. Le paternel n'avait jamais eu un sou, alors que lui... Et s'il avait réussi, il ne le devait à personne d'autre qu'à lui-même. Et qui en profitait ? Elle. Alors, ce n'était pas pour une rouste de temps en temps que...

Il avait couvert les kilomètres qui séparaient le Terminus de la ferme de ses beaux-parents et, sous le regard effrayé du couple de vieillards, il avait fouillé chacune des pièces de la maison, chacune des dépendances, retournant le mobilier, les menaçant des pires représailles au cas où il la trouverait, au cas où ils n'avoueraient pas où se cachait leur salope de fille. Ils mouraient de trouille lorsqu'il avait levé la main. Il l'avait laissée retomber sans les toucher, à voir leurs têtes, s'ils avaient su, ils auraient parlé. Il avait violemment claqué la porte en sortant et s'était tapé le chemin dans l'autre sens, et sous le grésil encore.

Elle allait payer pour ça.

Bon Dieu, une femme et deux gosses ne s'évanouissaient pas en pleine nature sans laisser de traces.

Sur le chemin du retour, il avait longuement réfléchi et passé en revue tous les endroits où elle aurait pu trouver refuge. Ou plutôt, il avait passé en revue tous ceux qui avaient suffisamment de cran pour s'opposer à lui. Réflexion faite, il n'en

216

connaissait qu'un seul, aussi avait-il fait un détour. Mais, chez Nats, il n'y avait personne, et pas de trace de son pick-up.

Bon Dieu, se tirer avec le pick-up.

Son pick-up.

Elle allait payer pour ça aussi.

Dès qu'il remettrait la main dessus.

Ses poings le démangeaient.

Un type commit l'erreur d'insulter une fille qui venait de renverser son verre.

À la bonne heure.

Il se leva.

*

L'essentiel de sa pitance se composait de campagnols et de corbeaux. Les premiers, il les chassait à l'ouïe. Silencieux, corps immobile et tendu, pattes plantées dans la neige, oreilles dressées, sans cesse en mouvement jusqu'à ce qu'elles localisent avec précision à quelle profondeur se trouvait sa proie, à quel niveau du réseau de galeries que le rongeur creusait pour s'isoler du froid. Ensuite, il bondissait et pénétrait gueule en premier l'épaisse couche blanche pour y prélever son repas.

Les seconds étaient moins aisés à surprendre, et il fallait pour qu'il en dévore un qu'au gré de ses marches il rencontre une charogne. Lorsque la chose arrivait, il s'allongeait à proximité et laissait la neige le recouvrir. Bientôt, les oiseaux venaient se repaître et, lorsque l'un d'eux passait à proximité de sa gueule, il refermait ses mâchoires. Cette nourriture-là était moins tendre qu'une autre, mais elle lui permettait, consistante, de tenir jusqu'au prochain repas.

Son errance l'avait poussé non loin d'une cité où chaque soir brillaient des lumières. Et même si son flair lui indiquait la présence d'une nourriture facile d'accès, il ne s'en approchait pas, se contentant quelquefois d'observer les allées et venues des hommes, soustrait aux regards, noyé dans la pénombre d'un sous-bois.

Son apparence n'était plus celle du louveteau malingre qui avait fui le massacre des siens. Sa stature était désormais celle d'un loup adulte et chaque pas qu'il faisait renforçait davantage sa masse musculaire. De nuit, il couvrait des dizaines de kilomètres, élargissant son territoire, cherchant inlassablement l'autre. Mais jamais il n'avait rencontré l'un des siens.

*

Nats et le vieux Tom discutaient à mots couverts, assis près de l'âtre. À contre-feu, leurs silhouettes se découpaient, nettes, pour, plus loin, envahir la pièce d'ombres multiples et dansantes.

Sarah ouvrit le buffet en quête d'une couverture pour en recouvrir les mômes dormant pelotonnés, serrés l'un contre l'autre sur le canapé. À leurs pieds, Mademoiselle. Elle s'étonna de ne pas voir pendre les fusils de chaque côté des portes. Elle frissonna, ils étaient là, un peu plus loin, posés sur la table, et s'entouraient de cartouches alignées tel un bataillon de soldats prêts à l'assaut final.

Elle revint en cuisine pour se préparer un thé. Nats l'y rejoignit quelques minutes plus tard pour la prendre dans ses bras. Elle se dégagea de l'étreinte et plongea ses yeux dans les siens pour l'entretenir de ce qui lui encombrait l'esprit.

— Si Sean est un chien et que la meute le sait, pourquoi le laisse-t-elle agir à sa guise ?

— Parce qu'il a sauvé le vieux Tom, mais ça tu le sais déjà.

— Je le sais et, réflexion faite, mille fois réfléchie et mûrie, j'en arrive à la conclusion que cela ne peut suffire. Alors quoi d'autre ?

Nats marqua une pause embarrassée avant de lui répondre.

— Rien que tu ne saches déjà, Sean travaille pour le Terminus.

— Et ce que je ne sais pas, c'est que ?

— C'est qu'à ce titre, il est sous la protection du grand patron.

Dans sa tasse, elle versa l'eau en ébullition, y plongea son sachet de thé et, le maintenant par la ficelle, elle le fit tourner, songeuse. Puis, comme si soudain l'évidence se faisait jour :

— Et si nous allions lui en toucher deux mots, au mâle alpha, ce serait peut-être la fin du calvaire d'une femme, de celui de ses enfants, du nôtre, elle dit.

Nats haussa les épaules.

219

— Tu devrais changer de sujet de thèse, tu ne le maîtrises pas du tout.

Elle ignora le sarcasme et le pria de s'expliquer avant qu'elle ne se mette vraiment en colère.

— Nul ne sait qui est le mâle alpha. Aussi bien, ce peut être une femelle. Il existe des précédents. Dans le monde animal, je veux dire. Et inutile de lui en toucher deux mots, comme tu dis, parce que m'est avis qu'il est déjà au courant. Rien ne lui échappe.

Elle en laissa tomber son sachet de thé dans le fond de sa tasse.

— Tu es en train de me dire que personne ne connaît le propriétaire du Terminus ?

— Pas davantage que celui de la station-service ou celui du supermarché, ou celui des exploitations forestières, vu que c'est le même.

Tom entrait dans la cuisine, peut-être que lui savait. Elle le lui demanda.

— Si je le savais, je ne serais pas là, mais au cimetière. À ce que l'on raconte, c'est ce qui arrive à ceux qui s'intéressent de trop près à la question.

Puis il ajouta dans un demi-tour, sur un ton chargé d'un dédain affectueux :

— Ces universitaires, aucune mémoire.

Avant de rejoindre le vieux Tom au salon, Nats lui pressa le bras tendrement. Un geste qui, sans doute, était censé la réconforter.

Son regard revint sur les fusils, sur les cartouches alignées, quelque chose comme une pensée en forme de « Ça suffit ! » lui traversa l'esprit. Elle se saisit d'une chaise, la porta jusqu'aux hommes, la posa entre eux, les interrompant dans leur dialogue, s'assit, et, à voix basse pour ne pas réveiller les gosses, elle demanda :

— Alors, que fait-on ?

— On attend, répondit Nats.

Elle le regarda, esquissa un sourire de dépit et se tourna vers son oncle.

— Alors, que fait-on ?

— On attend, répondit le vieux Tom.

Elle but une gorgée de thé, posa sa tasse à côté d'une rangée de cartouches et ajouta d'une voix exaspérée :

— Je crois que je vais changer le titre de ma thèse, ça fera : « Le Silence des hommes dans la plaine blanche, ou l'art d'être obtus sous prétexte d'avoir une paire de couilles, des fusils, de la violence à revendre, et deux pieds plantés dans la neige. » Je vais décrire la vie d'un peuple primitif et rétrograde, ce qui en soi est déjà pléonastique, puis je m'étendrai sur la façon qu'ont ces hommes de ne rien partager avec leur femme, si ce n'est les coups !

Là-dessus, elle se leva pour se faire un thé.

Le précédent, elle l'oublia sur la table.

— Elle est encore plus jolie en colère, tu ne trouves pas ? fit le vieux Tom. Une vraie louve.

— Une louve qui a en partie raison.

Le vieux Tom rajusta le plaid écossais sur ses genoux manquants et respira profondément.

— On attend, il répéta.

Nats acquiesça, se saisit de la tasse oubliée et regagna la cuisine où Sarah, assise et mains posées sur le ventre, mâchouillait une mèche de sa chevelure, l'air passablement agacée.

— Nous n'avons d'autre choix, il dit comme pour s'excuser.

— Parle-moi d'elle.

— De qui ?

— De ta mère.

— Sarah, je préférerais ne pas…

— Répondre, je sais. Mais je vais être maman, alors j'aimerais savoir qui était la tienne. C'est important.

Nats céda devant le regard égaré de Sarah et vint s'asseoir face à elle.

— O.K., il dit.

— Elle t'aimait ?

— Je crois que oui, enfin, à sa façon.

— Et ?

— Elle s'en est allée. Abandonnant derrière elle un petit garçon à ses doutes, le laissant seul avec son père.

— Quel genre de père ?

— Celui que je ne serai jamais.

— C'est censé me rassurer ?

— C'était un chien. Les sentiments, l'affection n'avaient pas droit de cité dans sa maison. J'en suis parti.

— Pour la rejoindre ?

— C'est ce que je croyais.

222

— Et ?

Nats respira profondément en observant Sarah. Ses traits étaient tendus, le doute se lisait sur son visage. Elle cherchait à être réconfortée, à comprendre. Pour une fois, il n'esquiva pas.

— Je ne l'ai pas reconnue, enfin pas tout à fait. L'alcool et une vie de débauche avaient eu raison d'elle, elle n'était plus la mère triste et fragile qui m'enlaçait, celle qui me protégeait des colères du vieux.

— Ton dos, c'était ce jour-là ?

— Oui.

— C'est elle qui…

— Non !

— Mais elle a laissé faire ?

— Disons que si elle avait suffisamment aimé son fils, si elle ne l'avait pas abandonné, ce ne serait jamais arrivé.

— Je ne serai pas cette mère-là.

— Je n'ai aucun doute là-dessus, aucun. Et comme déjà dit, je ne serai pas ce père-là non plus. Rassurée ?

Elle ébaucha l'esquisse d'une réponse, mais prestement la main de Nats se plaqua sur sa bouche.

— Écoute, ordonna-t-il.

Rien ne se faisait entendre à l'exception des grognements de Mademoiselle. D'un signe, il le fit taire. Le bouledogue couina sa désapprobation et alla se réfugier sous la table sans rien ajouter.

Ils restèrent ainsi un moment, attentifs, immobiles, puis, doucement, Nats retira sa main et Sarah entendit.

Elle redoutait une autre surprise, en espérait une autre qui leur annoncerait la fin du cauchemar.

— Le hurlement est distinct, à peine à...

— Une centaine de mètres, peut-être moins, précisa-t-il.

Disant cela, il disparut dans le garde-manger pour en revenir quelques instants plus tard avec un levraut mort, vidé mais pas encore dépecé, qu'il déposa sur la planche à découper. À l'aide d'un couteau, il pratiqua une large entaille au niveau du cou de l'animal. Un peu de sang s'écoula de la plaie et rejoignit le carrelage

Considérant la maigre bestiole, il avait l'air satisfait. Sarah objecta que cela ne suffirait pas à nourrir un loup.

— Je ne cherche pas à la nourrir, mais à la maintenir en vie pour qu'elle trouve la force de chasser. Je lui procure l'énergie nécessaire, pas le couvert. Si elle n'apprend pas, elle est morte d'ici peu.

— C'est une louve ?

— C'est une femelle, pas encore une louve. Elle est jeune, un an tout au plus.

Là-dessus, il enfila un manteau, s'enroula dans une écharpe et sortit pour enneiger le maigre festin dans le sous-bois attenant à la ferme. Contre le vent, pour que la presque-louve use de tous ses sens pour « chasser » sa pitance.

Sarah rêvassait sur le canapé du salon lorsqu'il la rejoignit.

Il s'installa à ses côtés et posa sa main sur son ventre.

— J'ai trouvé un joli prénom, pour cette petite louve-là, avoua-t-il.

— C'est peut-être un louveteau.

— Non !

— Admettons. Quel est ce joli prénom ?

Il la prit dans ses bras, la serra tout contre lui et prononça la phrase rituelle :

— Une question par jour, Sarah, une seule.

*

Il n'y avait pas davantage de cadavre à l'est qu'ailleurs, ce qui, au dix-huitième trou béant de vide, fit sourire Twigs, puis le fit rire aux éclats. Il lâcha sa pelle tellement son corps se secouait de spasmes. Il riait, le nez planté au ciel, seul, cerné de neige trouée et de ses dix-huit petits monticules.

Les corbeaux, ne supportant pas le vacarme, s'en allèrent se poser plus loin sans toutefois lâcher Twigs des yeux. Que pouvait-il se passer dans la tête des humains pour qu'ils se comportent de manière si peu rationnelle ?

Le dernier éclat de rire éteint, Twigs reprit sa pelle et la direction du garage.

Il mit une vingtaine de minutes pour y parvenir, le vent glacé lui piquait la peau, déposait sur sa barbe des plaques de givre, mais, de ça, Twigs la Levrette s'en foutait.

Il espérait que Sean ne retrouve pas Marthe et les gosses, pas tout de suite ; tant qu'il avait la tête ailleurs, il ne regarderait pas de son côté.

Une fois arrivé, il s'assit sur sa chaise, quitta ses gants et son bonnet et présenta ses mains grandes ouvertes au-dessus du poêle. Bientôt vinrent des fourmillements comme autant de piqûres, puis elles semblèrent s'enflammer de l'intérieur et enfin elles retrouvèrent toute leur mobilité. Il en usa pour sortir une cigarette de son paquet et l'allumer en posant le bout sur le dessus du poêle.

Il réfléchit un peu. Encore un peu et, clope au bec, il se leva.

Dans la cabine vitrée qui faisait office de bureau, il ouvrit l'armoire de métal, chercha à tâtons derrière les classeurs des factures, y trouva un revolver et une boîte de balles neuves. Maladroitement, il chargea l'arme. C'est à peine s'il savait comment elle fonctionnait. Il ne s'en était jamais servi, pas davantage de celle-là que d'une autre. Faudrait qu'il s'entraîne, pensa-t-il en la glissant dans la poche arrière de sa salopette.

Il n'était pas plus rassuré sous prétexte qu'il était armé, mais enfin, ça lui laissait une chance, si minime soit-elle.

Il referma la porte de l'armoire, celle de la cabine et revint près du poêle pour ouvrir la trappe du plateau et y planter sa pelle, manche en premier dans le foyer.

Il resta là longtemps, le temps que les flammes dévorent le bois, le reste rejoignit le tas des pièces de moteur et autres éléments automobiles défectueux.

Un pick-up attendait une vidange. Il se mit au travail.

Demain il se lèverait tôt pour aller s'entraîner au tir.

*

Museau collé sur la neige, il flairait l'odeur d'une proie. Il suivit la piste sur quelques mètres, puis vint se greffer sur la première une autre odeur. Une qui lui était inconnue et pourtant si familière. Il suspendit sa foulée, scruta la nuit, la sonda de son ouïe, aucun bruit ne lui parut suspect. Il reprit sa marche les naseaux encombrés d'effluves obsédants et le cerveau chargé d'une curiosité jusqu'alors insoupçonnée. Plus loin, alors qu'il pénétrait les bois, l'odeur se fit plus dense, comme ramassée sur elle-même. Il ne ressentait aucune crainte, aucune méfiance, il avançait, ses muscles roulaient sous sa peau tels les rouages d'une mécanique bien huilée.

Lorsqu'elle le vit, elle lâcha le maigre levraut qu'elle avait dans la gueule, recula d'un pas et émit un grognement. Mais rapidement son râle s'éteignit et, tandis qu'il avançait pour la rejoindre, elle poussa du bout du museau le levraut devant elle. Il avait faim, mais il n'accepta pas l'offrande et refit le

227

même geste. Elle hésita, prit sa proie dans sa gueule, franchit l'espace qui les séparait, déposa sa chasse sur l'humus gelé, frotta sa gueule contre la sienne et se tourna de façon que son flanc se retrouve accolé au sien. Sa chaleur le réconforta, il n'hésita plus et ses crocs déchirèrent la chair. Du sang lui inonda le palais, son goût, comme si la chose était possible, lui ouvrit davantage l'appétit, mais il se retint et s'assit légèrement en retrait.

Il se contenterait de ce qu'elle lui laisserait.

*

La nuit passait, lente et silencieuse.

Le vieux Tom avait regagné son lit, sorte de renfoncement aménagé au fond de la pièce où trônait l'alambic. Ni Sarah ni Nats ne lui avaient proposé leur aide. Le vieux Tom se débrouillait seul et refusait de considérer qu'être cul-de-jatte offrait un quelconque privilège, surtout pas celui d'être assisté. Pour se coucher, comme pour le reste des gestes et des obligations du quotidien, il se débrouillait.

Nats et Sarah avaient rapproché les fauteuils du feu, les avaient mis côte à côte et avaient jeté une couverture sur leurs jambes.

Elle s'était endormie, repliée tel un fœtus, joue posée contre le dossier. Ses derniers mots avant de sombrer avaient été :

— On ne peut pas attendre indéfiniment.

De temps à autre, Nats alimentait le feu, puis il retournait s'asseoir et laissait vagabonder ses pensées, suivant du regard les escarbilles qui, légères, s'envolaient pour rejoindre la nuit par le conduit de la cheminée.

Non, ils ne pouvaient attendre indéfiniment.

Pour l'instant, Nats avait l'esprit en paix. Sean ne pouvait se soustraire au travail, un seul soir sans lui au Terminus et ce serait un foutoir du diable, et ça on ne le lui pardonnerait pas.

Il réfléchit encore un long moment sur l'identité de ce « on », sans pour autant être capable de mettre un visage dessus, encore moins un nom. C'était pas faute de connaître le fonctionnement de l'établissement, d'en avoir observé chacun des rouages de près.

Et pourquoi ce « on » n'intervenait pas dans cette foutue pagaille pour y mettre fin ?

Je réfléchis mal, songea-t-il. La seule voie par laquelle « on » donnait des ordres était le téléphone du Terminus, et la seule personne habilitée à le décrocher était le contremaître. On ne donne pas à un homme l'ordre de s'exécuter. Toutefois, on peut le menacer. Mais le menacer de quoi ? De tuer sa femme et ses enfants ? À quoi bon, Sean s'en occupait au jour le jour, de flinguer sa famille, et à petit feu encore. Et puis, il était déjà trop loin dans sa colère pour que quiconque puisse lui faire entendre raison. « On » ou pas « on ».

Aucune aide ne viendrait de l'extérieur, il fallait l'accepter.

Et même si le vieux Tom sifflait la meute, celle-ci ne bougerait pas d'un iota avant qu'elle n'ait l'assurance que Sean ne soit plus sous la protection de « On ».

Il accepta, mais désormais l'invisible « On » devenait entêtant. Il replongea dans le passé, le ressassa en quête d'un indice, fût-il minime.

Avant que Maarten ne disparaisse, il lui avait posé la question. Qui était « On » ? Mais l'homme au visage émacié s'était contenté de désigner la pièce attenante à la grande salle en haussant les épaules et lui avait confié ce qu'il savait déjà, ce que personne n'ignorait. « On » était le téléphone, les ordres passaient exclusivement par ce canal-là. Sinon, une fois l'an, un type débarquait, comptait les bénéfices, en laissait quinze pour cent sur la table pour le fonctionnement de l'établissement et dix pour le contremaître, hier Maarten, aujourd'hui Sean, et s'en allait comme il était venu. Dans les liasses empilées, il n'y avait pas seulement les bénéfices du Terminus, ceux du garage, ceux du supermarché, ceux des loyers des chalets, des exploitations forestières, mais également la quote-part de chacun des salaires des bûcherons pour avoir le droit de travailler ici et de s'y faire oublier.

Nats se saisit du pique-feu et remua les braises, toujours cherchant.

Les filles étaient au nombre de douze, une pour chaque chambre du premier étage. Lorsque l'une d'elles s'en allait, parce que trop âgée, c'est-à-dire parce qu'ayant dépassé les vingt-cinq ans, ou parce que pas prête à tout, une autre arrivait le lendemain par l'autocar ou par tout autre moyen, mais arrivait. Chaque fois que le téléphone sonnait, toutes retenaient leur souffle de peur d'être renvoyées, un peu comme si, ici, c'était le paradis. Mais après tout peut-être était-ce le cas. Nats n'avait jamais fréquenté d'autre bordel, il lui était par conséquent difficile de se faire une opinion. Il s'en remettait aux paroles de Leïla qui désormais turbinait, sans doute parce que cela avait été plus aisé pour le grand patron de recruter sur place, même si tout à fait exceptionnel. Leïla qui lui avait confié un soir d'ivresse que c'était « chou » de travailler dans ce genre de lupanars, où les filles sont protégées par des types qui n'hésitent pas.

— Qui n'hésitent pas à quoi ? il avait demandé en s'asseyant sur le lit.

— Qui n'hésitent pas à cogner les clients violents plutôt que d'encaisser des bakchichs pour fermer les yeux.

— Et qu'est-ce que t'en sais, toi ?

Elle l'avait regardé, avait dégrafé sa robe. Le tulle bleu avait glissé à ses pieds dans un froufroutement à peine audible, ne lui restait qu'une paire de bas dentelant des jambes longues et fines. Ses doigts étaient descendus de son ventre à son sexe. Elle avait demandé :

— T'as vu, je me suis épilée. Tu aimes ?

Il avait détourné la tête parce que l'image lui était insupportable, obscène, enfantine.

— Tu n'aimes pas ?

— Non, j'aime pas, et t'as pas répondu à ma question.

Elle était venue se planter devant lui, avait pris sa tête entre ses mains pour l'attirer contre son ventre. Il s'y était refusé et s'était levé pour s'en aller.

— Ce que j'en sais, Nats ? J'en sais que ça fait trois ans que je turbine. Alors, des clandés, j'en ai vécu.

Il avait relâché la poignée de la porte.

— T'as à peine seize ans, Leïla.

— Dix-huit ans aujourd'hui. Et pour fêter ça, ce qui me ferait plaisir, vraiment plaisir, c'est de dormir dans tes bras ce soir. Rien d'autre que tes bras, Nats.

Il s'était retourné tandis qu'elle se glissait sous les draps, qu'elle lui tendait ses mains ouvertes, qu'elle le suppliait :

— Rien d'autre que tes bras, Nats. S'il te plaît.

Il avait cédé. Par envie et non par compassion.

Elle s'était enroulée autour de lui et lui avait demandé pourquoi il gardait sa chemise.

— Le froid, Leïla.

Il soupira profondément en réalisant l'inutilité de sa quête et repoussa les souvenirs, désormais attentif à la nuit, mais aucun bruit, si ce n'étaient au loin des hurlements revenant à fréquence régulière.

Il écouta le concert avec attention, il se concentra, il identifiait une anomalie.

D'un coup, il percuta, oublia les ennuis et sourit. Les hurlements ne se répondaient pas, non, ils s'unissaient, s'entremêlaient, provenaient du même endroit. Ces deux-là s'étaient trouvés. Une meute ressuscitait. Avec elle, si les hommes ne s'en mêlaient pas, reviendrait l'équilibre naturel perdu depuis longtemps.

— Si les hommes ne s'en mêlent pas, il murmura pour lui seul.

Les morts sur les toits

Ses pattes s'enfonçaient dans la neige jusqu'à son poitrail. Il huma la nuit, sentit l'odeur des hommes. Au loin brillaient des lumières. Poussé par la faim, il avançait, lentement, un pas après l'autre, marquant une pause entre chaque. De nouveau, il renifla le vent glacé, resta un instant immobile, puis, rassuré, tête baissée de façon à ce qu'elle soit dans le prolongement de son corps, que l'ensemble offre le moins de visibilité possible, il parcourut les derniers mètres le séparant de la bourgade. Atteignant le premier baraquement, il se tapit, colla son poil contre un mur, posa son museau entre ses pattes et patienta.

S'il n'aimait pas l'odeur des hommes, il haïssait celle des chiens.

Rien ne bougeait, il se leva, décrivit un demi-cercle pour se repositionner face au vent et, furtivement, il s'approcha de la poubelle.

Là, il se dressa sur ses pattes arrière, posa ses pattes avant sur le rebord de plastique, son poids la

fit basculer, répandant son contenu sur le sol ver-
glacé.

Mais le bruit.

Des jappements se firent entendre qui bientôt
s'approchèrent.

Il dévora à la va-vite deux carcasses de poulet, de
quoi le rassasier, à peine. Une troisième tandis que
l'odeur des chiens s'avançait.

Du bout du museau, il en écarta une quatrième,
la plus charnue, posa sa patte dessus, il la réservait
pour elle. Et il fit face, ouvrant la gueule, montrant
les crocs, se tassant et hérissant son poil aussi blanc
que la neige alentour.

Les chiens tout comme les hommes savent quand
le jeu cesse d'en être un.

Il prit dans sa gueule la carcasse de poulet, passa
entre eux, aplatis et couinant de soumission. Puis il
s'élança et disparut ton sur ton, se mêlant au blanc
de la neige.

*

Chaque fois qu'il entendait le bruit du moteur
de son pick-up, le cœur de Twigs s'emballait et ses
tempes perlaient de sueur. Machinalement, sa main
se posait sur la crosse de son flingue qui ne le quittait plus, avec lequel il dormait, avec lequel il tra-
vaillait, avec lequel il mangeait et buvait. Mais le
pick-up jamais ne s'arrêtait devant le garage, alors il
relâchait son étreinte et se remettait au travail.

Le matin, tandis que le jour pointait à l'horizon, il s'éloignait de quelques centaines de mètres de la bourgade, s'enfonçait dans les bois et s'entraînait au tir. Ses cibles étaient les troncs des arbres, mais il était rare qu'il touche celui qu'il visait. La principale raison de son manque de réussite n'était pas dû à la maladresse mais au fait que, redoutant la détonation, en toute logique, il fermait les yeux lorsqu'il appuyait sur la détente. Du moins les fermait-il lorsque, après une longue étude de l'objet, il eut compris qu'il était préférable d'ôter le cran de sûreté pour s'en servir.

Le reste de sa journée s'écoulait dans la crainte que Sean débarque et lui demande des comptes à propos du mort. Mais Sean avait l'esprit ailleurs et, lorsqu'il n'était pas au Terminus, il battait la campagne, fouillait chaque habitation à la recherche de Marthe et des gosses. Quarante-huit heures qu'elle avait foutu le camp maintenant. La bourgade ne parlait plus que de ça et pensait unanimement que Marthe avait bien fait, même qu'elle aurait dû le faire plus tôt. La bourgade bourdonnait, mais n'abordait jamais le sujet devant Sean : trop risqué.

Traînant les pieds, Twigs revenait de sa séance de tir qui n'avait pas été plus concluante que celle de la veille. Devant les portes du garage closes attendaient trois pick-up avec, dans chacun d'eux, installés derrière leur volant, trois types aux mines réjouies. C'est toujours la même histoire, pensa Twigs, dès que la belle saison se pointait ou faisait seulement mine de se pointer, chacun venait faire réviser son véhicule. La belle excuse pour passer la journée au Terminus, à boire et à oublier dans les bras des filles à quel point leurs femmes respectives manquaient de légèreté et de compétences pour ce qui était des jeux de l'amour.

Il ouvrit le garage, fit signe au premier type de faire entrer son véhicule. Celui-ci s'exécuta avant de s'éjecter expressément de la cabine et de filer en direction du bordel. Les deux autres lui confièrent leurs clés non moins expressément et prirent la même direction.

— Toujours la même histoire, marmonna Twigs dans sa barbe.

*

Pull remonté sous les seins, Sarah s'observait dans le miroir. Était-ce un effet de son imagination ou son ventre s'arrondissait ? Certes, la rondeur était discrète, quasi invisible, mais elle la devinait, la sentait. Elle résidait juste là, au-dessus de la ceinture de son jean.

Les moments où elle se mirait dans la glace du couloir de l'entrée étaient les seuls où la peur la quittait tout à fait, où elle parvenait à recouvrer un peu de sérénité et à ne plus penser à la ville qui, d'évidence, leur offrirait hospitalité et sécurité.

— Rien n'est assez loin pour Sean, répondait invariablement Nats.

— Nous pourrions partir tous les deux !

— Tous les trois tu veux dire ?

— Oui, tous les trois. Et ne plus jamais revenir.

— Et laisser Marthe et les gosses à la merci d'un salaud ?

Et il l'avait dévisagée comme on dévisage une enfant prise en faute.

Elle avait soutenu son regard, avait imaginé la suite de la conversation : « On n'est pas des chiens, Sarah. Pas toi, pas moi, pas l'enfant à naître. Pas nous, et pas ceux qui comptent sur nous ! »

Elle n'avait rien ajouté et lui s'était renfermé davantage encore, coincé entre ce qu'il nommait son « travail » – dont elle ignorait encore et toujours la nature exacte – et l'honneur – dont elle ignorait les frontières pour s'être appliquée à les oublier.

Escarmouche mise à part, Nats ne semblait pas accepter que si aucune aide n'était encore venue de l'extérieur, c'était qu'elle ne viendrait plus. Et elle se demandait si Tom et lui n'étaient pas fous, s'ils n'inventaient pas les choses qu'ils lui disaient avec parcimonie.

Qu'attendaient-ils ? Qu'espéraient-ils ? Une réaction de la meute sur ordre du mâle alpha ? Mais rien ne venait si ce n'est le temps qui passe et, avec lui, s'amenuisaient les chances que tous sortent de là sans trop de dommages.

Elle abandonna sa contemplation et regagna la cuisine pour quelques tâches ménagères dont les vertus principales consistaient à s'occuper les mains. Les plongeant dans l'eau chaude, sans qu'aucun signe avant-coureur ne la prévienne, soudain, une flopée de souvenirs refit surface : des hommes plus durs que la terre qu'ils foulaient, des armes sorties de leurs étuis, posées à portée de mains viriles qui ceinturaient des assiettes pleines de leur travail. C'était là le tableau d'une grande partie de son enfance, de son adolescence. C'était son quotidien avant que son père ne quitte ce monde.

Elle ferma les paupières, suspendit ses gestes pour se concentrer davantage, pour ne rien rater de ce qu'elle avait mis tellement d'application à oublier. Elle forçait sa mémoire avec méthode et des flots d'images remontaient en désordre. Elle tentait d'en saisir une, elle s'échappait aussitôt, et voici que s'en présentait une autre sortie d'elle ne savait trop quel enfouissement : les morts sur les toits.

Les morts apparaissaient à la belle saison, lorsque la neige quittait en partie les toitures. Ceux qui avaient mérité une sépulture décente avaient été emballés dans de la toile épaisse, et hissés, arrimés là, hors d'atteinte des animaux, protégés des charognards. Ainsi apprêtés, ils attendaient sous couvert de neige que la terre daigne enfin dégeler pour les recevoir.

À la mort de son père, sa mère et elle avaient pris l'habitude de dormir dans la même pièce. La chambre d'amis, parce que la veuve n'avait pas le cœur à sommeiller dans le lit conjugal. La chambre d'amis parce que, au-dessus de la sienne, son père patientait, ce qui la terrifiait.

Elle se concentra davantage, grimpa à rebours les étages qui la séparaient des événements de ces années-là. Elle allait sur ses treize ans.

Il avait eu de belles funérailles. Elle se rappelait cette journée, elle était douce. L'une de celles, ensoleillées, qui se comptent sur les doigts d'une seule main pour une décennie. Les hommes avaient revêtu des costumes noirs sous leurs lourds manteaux. Quelques-uns portaient même des chaussures vernies, qu'ils ne remettraient plus tant elles étaient imbibées de neige fondue. S'accrochaient à leur bras leurs épouses, tout aussi endimanchées, et nombre d'enfants suivaient cet étrange cortège. Si, alors, l'aréopage ne l'avait pas étonnée, à présent elle s'interrogeait. Quelle était la place de son père dans la meute pour que tous lui rendent hommage ?

Elle respira profondément, le vortex du passé venait de se refermer aussi soudainement qu'il s'était ouvert tandis que Nats entrait dans la cuisine.

— Tu fais une drôle de tête, on dirait que tu as vu un revenant.

— C'est à peu près ça.

— Tu veux en parler ?

— Pas pour l'instant. Comment va Marthe ?

— Mieux, elle devrait pouvoir se lever d'ici peu.

Elle reprit la vaisselle là où elle l'avait laissée, il en profita pour se coller dans son dos, glisser les mains sous son pull et lui caresser les seins, le nez planté dans son cou.

— Il y a des enfants, Nats.

— Dans la pièce à côté, oui.

— Ils pourraient nous surprendre.

Il retira ses mains pour les poser sur sa taille, déposa un baiser chaste sur sa joue, puis il récupéra une planche à découper encore humide, la posa sur la table et réfléchit quelques instants au repas de midi.

— Comment se fait-il que Sean n'ait pas encore rappliqué ?

— Je ne sais pas, il avoua. Peut-être qu'il n'y a pas pensé, tout bêtement, ou peut-être qu'il ne veut pas offenser le vieux Tom en commençant ses recherches par sa ferme, ou pour toute autre raison. Je ne sais pas, Sarah.

Elle finit de rincer la vaisselle à grande eau. Nats ouvrit la porte de la minuscule pièce attenante appelée garde-manger, pièce qui n'était pas chauffée mais qui, parce que située non loin de l'énorme poêle de fonte, restait hors gel. Sur les étagères basses se trouvaient les légumes, sur les étagères centrales les boîtes de conserve. Rien sur les étagères hautes, inaccessibles pour le vieux Tom. La viande, elle, était conservée à l'extérieur, pendue par quartiers aux poutres soutenant le toit avançant de la ferme, hors de portée des animaux. Comme congélateur, on ne pouvait rêver plus efficace, il ne se déréglait jamais, hormis une fois l'an à la belle saison, mais comme c'était également la saison de la chasse, la viande ne manquait pas.

Nats se saisit d'un chou, de quelques gousses d'ail, de deux oignons, et revint en cuisine où Sarah jouait du torchon blanc, essuyant des assiettes, les rangeant. Elle avait allumé la radio, sur les ondes passait un vieil air de rock. Nats n'avait jamais bien compris comment l'on pouvait préférer ce genre de musique au classique, au *Requiem* d'un Mozart ou au *Messie* d'un Haendel, par exemple, mais il s'était habitué aux goûts de Sarah et ne protestait plus. Il déposa son chou et le reste des légumes sur la table.

— Ce sera quoi, cette fois ? elle demanda.

— Chou farci, il répondit.

— Farci avec quoi ?

— Avec les restes du rôti. Ma grand-mère disait toujours qu'un bon cuisinier ne cuisine qu'une fois, ensuite il accommode les restes de la veille. Et comme ça toute une vie.

— Tu as connu tes grands-parents ?

— Non, mais j'imagine que c'est exactement ce que devrait dire une grand-mère à son petits-fils.

Elle sourit et l'observa.

Lorsque Nats cuisinait, ou plutôt lorsqu'il prolongeait les restes, l'étrange brutalité dont il était fait semblait s'évanouir. Ses gestes se faisaient précis, presque tendres, comme lorsqu'il lui faisait l'amour.

Pour commencer il se lava les mains, les sécha à l'aide du chiffon blanc qu'il lui emprunta, puis il éplucha le chou et rinça les feuilles abondamment. Il les plongea dans une casserole d'eau qu'il plaça sur le poêle, le temps de se griller une cigarette et de l'écraser. Ensuite il préleva les quatre plus grandes, en retira les nervures centrales et, après avoir égoutté le reste, il le débita grossièrement et s'intéressa à la farce. Il sépara la viande de son jus, la hacha finement, les oignons, l'ail avec, tandis que dans une jatte il faisait tremper quelques biscottes dans un peu de lait. Il les pressa bientôt entre ses

243

doigts, jeta l'excédent de lait, déposa son hachis sur la mie détrempée, demanda à Sarah de casser deux œufs dessus, de saler, de poivrer, puis il mélangea le tout jusqu'à obtenir une farce compacte.

— Ça manquera de persil, mais tant pis, il dit.

Du tiroir du buffet, il sortit un torchon propre qu'il plaça dans le fond d'une cocotte, prenant soin que les quatre coins en débordent.

— Parfait !

Il déposa deux des quatre grandes feuilles sur le torchon, les croisa, puis il plaça une couche de farce, puis une couche de chou émincé, et ainsi de suite jusqu'à ce qu'il finisse l'empilement avec les deux grandes feuilles restantes, toujours croisées. Il noua les deux coins opposés du torchon et les deux suivants, bien serré. Le chou ainsi moulé se retrouva plongé dans le jus rallongé d'autant.

— Une heure trente à faible ébullition, et ce sera prêt.

Au loin se fit entendre le bruit d'un moteur qui s'approchait. Nats prêta l'oreille cependant que Sarah retenait sa respiration. Il dit :

— Le pick-up de Twigs.

Le bruit s'amplifia, puis, peu à peu, s'évanouit.

— L'idéal pour la présentation, ce serait un plat rond, et un autre, creux, pour servir le bouillon à part.

— Comment fais-tu pour être aussi serein ?

— J'ai le choix ?

Elle le dévisagea, remua la tête comme pour dire qu'elle ignorait la réponse et ajouta :

— Je vais chercher les plats.

Il ralentit sa foulée et la stoppa bientôt tout à fait.
Sur la neige, entre ses pattes, il déposa la carcasse
de poulet. Puis il tendit l'échine, ouvrit la gueule
et hurla longuement pour la prévenir que bientôt il
serait là.

La plaine s'étalait de blancheur en contrebas.
Quelques chalets ici et là balançaient leur fumée
par les cheminées qui, dansantes, vaporeuses, s'éle-
vaient avant de s'étioler vers un ciel de la même
couleur, jusqu'au mélange, jusqu'à l'union, jusqu'à
l'uniformité.

Une fois encore il ouvrit grand les naseaux pour
fouiller les odeurs portées par le vent. Il n'y décela
aucun effluve malsain, ni celui des hommes ni
celui des chiens, ni aucun autre si ce n'est celui,
entêtant, de la résine de pin. Ses babines se soule-
vèrent, découvrant des crocs aussi blancs que le
paysage alentour, aussi saillants que des éclats de
glace. Il reprit la carcasse en gueule, scruta la nuit
longtemps, le temps de s'assurer que nul n'avançait
contre le vent et, d'un bond, il pénétra dans le sous-
bois.

Il n'y a rien de moins pratique que de bosser la
mécanique avec un flingue glissé dans la poche
d'une salopette. Twigs en faisait la douloureuse

expérience. Allongé sous le moteur d'un pick-up, le canon lui labourait le bas de la fesse ; penché sur un moteur, la crosse lui lacérait les reins.

Il achevait la révision d'un monstre automobile rutilant de chrome, penché sous le capot, lorsqu'un autre flash lui traversa l'esprit, c'est-à-dire lorsqu'il vit exactement où était le mort. Lorsqu'il revécut, tel un film se déroulant en accéléré et à rebours, chaque événement et chacun des gestes de cette nuit-là, il resta figé, saisi de stupeur, n'osant bouger de peur d'oublier. Il se raisonna, respira à fond et se calma. Des dizaines de fois il se repassa en mémoire le film. Des centaines de fois il prononça à voix haute et dans le silence du garage le lieu de la sépulture de fortune. Une fois certain que cette information-là ne pourrait plus jamais lui échapper, ne pourrait plus déserter sa caboche, il déposa sa clé à pipe sur le filtre à air, plaça chacune de ses mains sur les ailes du véhicule, sourit comme il n'avait pas souri depuis pas mal de temps et recula. Fallait qu'il s'occupe de ça tout de suite, fallait qu'il aille le chercher, son cadavre, et se le planquer là ou nul ne le trouverait sinon les ours, les corbeaux, n'importe mais pas les hommes, et surtout pas Sean. Il n'avait plus de pick-up. Aucune importance. Il emprunterait celui d'un client. Ensuite, il fermerait le garage et irait s'en jeter un, voire des dizaines, au Terminus, puis il monterait avec Leïla. C'était un bon plan, le meilleur qu'il ait jamais eu. Il recula d'un pas encore. Le meilleur des plans, sûr de sûr. Un plan de première classe même, s'il n'avait pas oublié que traînait là, pile sous son pas de recul, le cric à roulettes.

Il posa le pied dessus. Le cric hésita puis n'hésita plus et roula. Twigs perdit l'équilibre et, moulinant des bras pour tenter un rétablissement, prit à reculons de la vitesse. Comble de malchance, alors qu'ainsi il avait parcouru une dizaine de mètres et qu'il pensait réchapper à la chute, qu'il rétablissait gauchement mais sûrement son équilibre, un pot d'échappement se mit en travers de sa route. Il se prit les pieds dedans, les deux... Son corps flotta un instant dans les airs avant de rejoindre lourdement le sol. Et ce faisant, sa tête heurta un bidon d'huile.

Avant de s'évanouir, sonné, l'image d'un corps gelé lui envahit les méninges et ce fut le noir.

*

Marthe s'était levée, avait revêtu une robe de chambre ayant appartenu à la femme du vieux Tom et avait péniblement descendu l'escalier pour venir s'asseoir à la table de la cuisine. Elle se rassasiait de biscottes beurrées qu'elle laissait tremper longuement dans un bol de lait chaud pour les récupérer avec une grande cuillère, les porter à sa bouche et lentement les mâcher. Lorsqu'elle avalait, une douleur aiguë naissait sous son sein, et il lui fallait faire un effort pour retenir un râle plaintif.

Sur le poêle mijotait à faible ébullition le chou dans son torchon et son fumet flottait dans la pièce, s'aventurait jusqu'au salon où l'adolescente, assise sur une chaise, dans la même position depuis des heures, regardait vaguement par la fenêtre. Plus loin, sur le tapis près de l'âtre, son jeune frère jouait avec de petits morceaux de bois, des éclats de bûches qu'il s'ingéniait à réinventer pour s'en faire des chasse-neige, des pick-up et autres motoneiges se livrant à une course-poursuite des plus palpitantes. Il mimait le bruit des moteurs et ceux des dérapages, contrôlés pour certains, mortels pour d'autres.

Mademoiselle, allongé sur le canapé, regardait nonchalant le manège de l'enfance.

Il ne neigeait pas tout à fait, il ne pleuvait pas tout à fait. Il faisait l'un de ces temps qui hésite à être lui-même. Un peu comme la couleur du ciel qui, également indécise, ne savait choisir entre un blanc laiteux et un blanc à peine grisé.

Le pick-up était repassé dans l'autre sens, empruntant la route qui conduisait au Terminus. De là où se tenait Nats, c'est-à-dire sous l'appentis protégeant le bois de chauffage, bûches plein les bras, il avait distinctement reconnu le conducteur : Sean. Twigs n'était pourtant pas d'un naturel prêteur et, à son pick-up, il y tenait autant qu'à ses soirées de débauche. Décidément, rien ne ressemblait plus à rien. Entrant dans la ferme, empilant les bûches près de la cheminée, il visa l'heure à la grande horloge ronde trônant sur le buffet : il était un peu plus de midi. Sean devait à cette heure prendre son service, ce qui leur donnait quelques heures de répit, probablement les dernières.

Il nourrit le feu en pensant à ça, à la meilleure manière d'accueillir Sean lorsqu'il se pointerait sur le pas de la porte, ou à la pire. Puis les souvenirs montèrent en flots continus, noyèrent son cerveau et son regard. Le visage de sa mère lui apparut, se penchant sur lui, délaissant ce masque de dédain passif en reconnaissant son fils. Il respira profondément et le repoussa.

Si seulement il avait été certain, si seulement ses observations durant toutes ces années l'avaient conduit à la certitude que l'homme de la bicoque et Sean ne faisaient qu'un. Si seulement il avait pu définitivement faire basculer les dix pour cent du côté des quatre-vingt-dix. Alors, il lui suffirait de prendre le fusil sur la table, de le charger et de débarquer au Terminus pour faire feu. Puis de coller Leïla dans un autocar direction le Sud, et prendre le large avec Sarah avant que le téléphone ne sonne les ordres d'exécution.

Une fois encore, il se demanda qui était à l'autre bout du fil.

N'empêche que, s'il avait été certain à propos de Sean, tout aurait été plus simple.

Il entra dans la cuisine avec cette idée-là en tête.

— Nats ? Nats, ça va ? Ça va ? répéta Sarah.

Ses poings se desserrèrent, sa vision se fit un soupçon plus claire. Il s'essuya le front d'un revers de manche.

— Ça va, il dit. Qu'est-ce qu'elle fait là ? il ajouta.

— Elle s'appelle Marthe, le reprit Sarah.

Il s'excusa et, s'adressant à Marthe et l'appelant par son prénom, il lui fit remarquer que, dans son état, il était plus raisonnable de regagner la chambre et de s'y aliter.

— Ça fait un mal de chien quand je respire, quand je mâche, quand j'avale, elle répondit.

Et des larmes coulaient sur ses joues meurtries.

— Et ça fera mal quelque chose comme six semaines encore. Et encore plus mal maintenant si tu chiales à tout va.

— Bon Dieu, Nats, qu'est-ce qu'il te prend de lui dire des choses pareilles ?

À présent debout derrière elle, Sarah posait ses mains sur les épaules de Marthe, protectrice, et sa mine se chargeait de cette colère naissante qu'il connaissait bien.

Il secoua la tête, attrapa le bol de lait pour en jeter le contenu dans l'évier, puis il se dirigea vers la marmite fumante, se saisit de la louche qui pendait accrochée à la poignée du poêle et remplit le bol de bouillon. Il posa le bol sur la table, émietta des biscottes dans le liquide fumant, y planta la cuillère, s'empara de la boîte de lait en poudre, la rangea et précisa :

— Ça sera toujours mieux pour te refaire une santé que cette merde vide de tout, surtout de goût.

Là-dessus, il quitta la pièce, Sarah sur les talons.

Elle le questionna alors qu'il enfilait sa veste :

— Tu vas où ?

— Aux nouvelles.

— Et si jamais il vient ?

250

— Il ne viendra pas. Pas aujourd'hui.

— Mais si jamais ?

— Si jamais, tu prends le truc posé sur la table, tu le charges et t'hésites pas une seconde. Tu sais t'en servir ?

— J'ai grandi ici, tu te souviens ?

— Alors tu te débrouilleras. Pas de sommation, pas de discussion, tu vises plein centre, au niveau du ventre, et tu presses la détente. Et si ça suffit pas, tu recommences. Compris ?

— Compris !

Il ouvrit la porte, mais elle le retint encore un peu.

— Je n'aime pas le regard que tu as là.

— Moi non plus.

Et encore un peu.

— Fais attention à toi !

Elle le regarda grimper dans le pick-up, à sa suite Mademoiselle qui s'assit sur le siège passager. Elle le vit démarrer et s'éloigner, puis elle referma la porte et s'y adossa. Quantité de pensées la chahutaient, la bousculaient. Toutes mauvaises, toutes négatives, toutes teintées de peur.

Un long moment elle resta ainsi, les mains posées sur son ventre, puis elle se ressaisit, se redressa et traversa le salon. Au passage, elle récupéra un fusil et deux cartouches. Une fois dans la cuisine, elle les glissa dans le canon, referma l'arme et déverrouilla le cran de sécurité.

— C'est inutile, il ne viendra pas aujourd'hui, marmonna Marthe, regard en dessous et remuant du bout de sa cuillère l'épais bouillon.

Sarah soupira puis se laissa tomber sur une chaise.

— Et pourquoi ?

— Le pourquoi, je n'en sais rien. Je sais seulement qu'il ne peut pas faire ça.

— Parce que ?

— Parce que s'il quittait le Terminus pendant son service...

— Ce serait considéré comme une désertion, précisa le vieux Tom, faisant rouler son fauteuil et s'approchant du poêle.

— Et en cas de désertion, que se passe-t-il ? Et surtout : qu'est-ce qu'on attend pour foutre le camp ?

Il ignora la série de questions, souleva le couvercle et huma le fumet s'échappant de la marmite.

— Du chou farci, et préparé par Nats encore. Je reconnaîtrais cette odeur entre mille. On va se régaler.

— Préparé par Natsume en personne, parce que ta nièce elle ne sait rien faire, rien de rien. Mieux, elle ne comprend rien à rien. Elle ne sait même pas que le bouillon est plus adapté que le lait en poudre lorsqu'une femme s'est fait battre jusqu'au sang. Et la nièce en a marre que l'on esquive ses questions. Des questions simples et, à ce qu'il lui semble, pertinentes, mais non : on ignore, on louvoie, on répond à côté ou à moitié. Et ça, c'est dans le meilleur des cas, parce que le reste du temps on n'a pas de réponse du tout et on s'en contente !

— Si tu veux des réponses, cherche au bon endroit.

Elle marqua un temps d'arrêt, soutint un moment le regard de son oncle dont le visage, lui sembla-t-il, arborait un discret sourire provocateur. Puis elle tourna sur elle-même, moulina des bras tandis qu'elle se pinçait les lèvres pour ne pas hurler, serra les poings, les dents. Et d'un coup elle relâcha toute tension pour se faire molle, ramasser le fusil et rejoindre le salon en ajoutant :

— La nièce rêve de retourner en ville, de retrouver la compagnie de gens normaux, de gens *ci-vi-li-sés*.

— Elle est vraiment très belle en colère. Une louve, une vraie de vraie, fit le vieux Tom.

— Je ne savais même pas que ça existait, comme prénom, Natsume, rétorqua Marthe, continuant de remuer son bouillon tandis que, de l'autre main, elle se tenait les côtes.

*

Twigs prit appui sur un coude, battit des cils et, péniblement, se redressa sur le côté. Son regard erra, troublé, moucheté de scintillements blancs, s'attachant à chaque objet. C'était pas ce qui manquait : pièces détachées, éléments de carrosserie, parties de moteur… Il porta la main à son front, le bout de ses doigts s'humecta de sang. Il les retira vivement et vomit. Une flaque visqueuse panachée de bile et de restes du petit déjeuner se forma, circulaire, sur le sol du garage. Il s'en éloigna en rampant sur quelques mètres et s'adossa à la roue d'un pick-up.

Là, assis, il se souvint de s'être souvenu de quelque chose, sauf que la nature de ce souvenir lui échappait complètement, n'évoquait rien.

Qu'était-ce, déjà ?

Quelques minutes passèrent avant qu'il ne se relève. Il dut s'y reprendre à trois fois pour que ses jambes obéissent enfin et veuillent bien cesser de se dérober.

Une fois debout, il se saisit d'un chiffon saturé de cambouis traînant sur l'aile du pick-up et le plaqua sur son crâne.

Qu'était-ce, déjà ?

Un indicateur niché dans le fond de son cerveau envoyait nombre de signaux dont il ignorait la signification.

Qu'était-ce, déjà ?

*

L'atmosphère s'alourdissait d'heure en heure. L'oppressante promesse que le futur se dessinait tout de violence et de sang prenait corps.

Nats s'était absenté sans daigner dire où il allait, laissant Sarah avec ses inquiétudes, un vieil homme en fauteuil roulant, deux enfants, une femme en convalescence et un fusil. Et elle ne savait si, même face au danger immédiat, elle aurait le courage d'en presser la détente. Tirer sur des boîtes de conserve était une autre affaire que tuer un chien, fût-il le plus monstrueux de sa race.

254

Avant que Nats ne franchisse la porte, elle avait tenté une fois encore de le convaincre de chercher refuge en ville. D'amener Marthe et les gosses. Une fois sur place, ils auraient tout le loisir de reconsidérer la situation et de trouver une solution. Mais la fuite, de l'avis de Nats, ne réglait en rien les problèmes, quelle que soit la nature de ces problèmes.

— Tu peux me croire, Sarah, se dérober c'est repousser l'inévitable, pas y mettre un terme. Et, tôt ou tard, où que nous soyons, Sean débarquera et sa colère n'en sera que décuplée.

Était-ce pour cette raison qu'il repoussait catégoriquement ce qui lui paraissait, à elle, la seule issue possible ? Elle en doutait et, à présent, dans le silence de la nuit, et dans ce qui ressemblait à une prison, elle hésitait à décrocher le téléphone, mais pour appeler qui ? Les autorités qui demeuraient à des heures de route ? Elle n'était qu'une petite fille lorsqu'elle avait appris que lesdites autorités se désintéressaient de ce coin-ci du monde. Mieux, elle avait été élevée dans la fierté qu'elles ne s'y intéresseraient plus jamais. À ce que racontait son père, elles avaient débarqué une fois dans la bourgade, une seule, pour éclaircir une histoire de contrebande. Et à peine avaient-elles franchi la porte d'un suspect pour l'interroger que le véhicule qui les avait emmenés jusque-là avait disparu. Envolé, comme s'il n'avait jamais existé. Elles avaient menacé en cas de non-restitution du matériel de l'État, ils avaient rigolé. Elles avaient exigé le gîte et le couvert, les portes s'étaient fermées.

Elles avaient demandé l'accès à un téléphone, une ribambelle d'hommes avait barré l'entrée du Terminus, terminus de la ligne à l'époque. Elles avaient dégainé leurs pistolets, ils avaient sorti une armée de fusils. Finalement, elles avaient supplié, et la nuit était tombée, avec elle, un froid polaire, tandis qu'eux nourrissaient les âtres par brassées de bois entières.

Elle n'avait pas repensé à cette histoire depuis des années. Comme le reste, elle l'avait enfoui.

Son père avait l'habitude de dire en l'asseyant sur la banquette arrière du pick-up : « C'est la place des autorités », et il riait de son bon mot. Ce soir, elle se demandait combien de pick-up avaient été équipés par les autorités, une aile ici, un pare-chocs là, un moteur ailleurs…

Mèche en bouche, mâchouillant, elle se concentra encore sur le passé.

Sous le hangar de la ferme ne résidait aucune machine agricole mais s'empilaient des cartons. L'espace gigantesque était alimenté au jour le jour, par tous les temps, par des hommes conduisant des motoneiges ; accrochés à celles-ci, des traîneaux ployaient sous le poids du tabac et autres denrées autrement introuvables. Sortaient de la même manière les produits de contrebande pour être acheminés plus au nord.

Elle revoyait son père penché sur des cartes, s'interrogeant sur le chemin le plus rapide, le plus aisé à emprunter pour tel ou tel engin. Elle le revoyait distribuer les plans de route, donner des ordres aux hommes qui tous étaient à ses funérailles.

Son père vivait de la contrebande, comme beaucoup à l'époque et, comme beaucoup, pour que le feu ne s'éteigne pas dans la cheminée, pour que les assiettes soient pleines. Elle réalisait qu'elle n'aurait pas agi autrement qu'ils l'avaient fait avec les autorités. Ils n'avaient fait que protéger les leurs contre ceux qui n'avaient jamais appréhendé avec discernement ce qu'était la réalité de cette terre : trop dure de gel pour nourrir une famille l'année durant.

De temps en temps, elle levait le nez de son carnet sur lequel son regard s'attachait comme un support à la rêverie et écoutait attentivement la nuit qui venait. Avec elle, les hurlements des loups. Elle écoutait afin de distinguer le *elle* du *il*. Elle n'y parvenait pas, même si Nats lui avait donné les clés pour les reconnaître à coup sûr.

D'après lui, si la meute renaissait, si elle envahissait de nouveau la plaine, les bois, si elle foulait ce sol et s'y sentait à son aise, alors tout reprendrait sa place.

— Les hommes aussi ont besoin d'un modèle, lui avait-il confié.

*

Nats gara le vieux pick-up sur le bas-côté ; les phares du véhicule léchèrent la façade de la ferme de Sean. Il se roula une cigarette et l'alluma tandis que sa pensée vagabondait. Il savait la bâtisse ouverte. Encore moins que quiconque, le contre-maître du Terminus redoutait un cambriolage. Nul n'aurait été assez imprudent, pour ne pas dire fou à lier, pour tenter l'exploit. De fait, il pouvait entrer et fouiller les pièces de fond en comble, les retourner en quête d'une preuve qui flingue définitivement ses dix pour cent d'incertitude.

La neige tombait désormais dru. Derrière le pare-brise et encore derrière le bois bordant le corps de ferme, un pâle soleil s'écroulait dans un amas de poudreuse tandis que Mademoiselle tournait sur le siège passager afin de s'installer plus confortablement.

La halte pouvait durer, le bouledogue le savait.

Combien de fois, combien d'heures Nats était-il resté là, assis derrière le volant, fixant ces murs pour en arriver à la même conclusion, s'il entrait il ne trouverait rien, simplement parce qu'il ne savait quoi chercher.

Il ferma les yeux et se concentra sur cette nuit où il avait définitivement quitté le monde de l'enfance pour rejoindre celui, amer, de la vengeance inassouvie. Son tortionnaire aurait pu, les années passant, conserver un objet, autre chose... Mais les souvenirs de Nats ne faisaient mention d'aucun objet en particulier. Et puis, sa logique se heurtait à l'évidence : aucun homme ne se serait encombré de quoi que ce soit avec dans les poches autant d'oseille.

Il marmonna un juron, écrasa sa cigarette dans un cendrier débordant de mégots, démarra et poursuivit sa route en direction du Terminus.

Ses dix pour cent d'incertitude n'étaient pas enta-
més d'un iota.

*

Le déclic s'était fait, plein et total, les souvenirs
étaient désormais là, présents, sagement alignés. Ne
restait à Sarah qu'à piocher à loisir, même si beaucoup lui déplaisaient. Le déclic s'était fait dès lors
qu'elle avait accepté sans rechigner, sans conces-
sion, être d'ici, être l'enfant de la meute.

Son regard erra quelques instants dans la pièce
déserte. Les mômes se trouvaient à l'étage en compagnie de leur mère. Tom distillait, Nats n'était toujours pas rentré, tout était si calme, d'apparence si
tranquille. Elle serra la crosse du fusil reposant sur
ses genoux comme pour s'assurer qu'il était bien
réel et reprit le chemin du passé.

Au matin, sa mère pleurait, agenouillée dans la
cour. Dans ses bras, elle tenait le corps sans vie de
son père. Son sang se répandait alentour. Plus loin
ronronnait encore le moteur de la motoneige avec
laquelle il était parvenu à regagner la ferme. Elle
était allée couper le contact de l'engin et faire ce
que tous les enfants savent faire à cet âge dans ce
coin-ci du monde : décrocher le microphone de la
cibi et trouver la bonne fréquence.

Quelques heures plus tard, Tom avait débarqué. Il avait encore ses jambes. Il s'était agenouillé
près de sa mère qui toujours pleurait. Puis, après
un long moment, après avoir examiné les blessures

et constaté qu'il était trop tard depuis longtemps, il avait pris la pleureuse par les épaules et l'avait contrainte à rentrer.

Des larmes, Sarah en versait aussi. Tom lui avait demandé si elle voulait se mettre au chaud pour chialer tout son saoul. Elle avait répondu que non, qu'elle préférait rester. Que se passait-il dans la tête d'une enfant de presque treize ans assistant à l'inhumation provisoire de son père ? Pour l'heure, elle ne se souvenait pas de ses pensées d'alors, mais se rappelait avoir observé chacun des gestes de son oncle. Il avait été chercher de la corde et l'épaisse toile – il en était une dans chaque ferme. Il l'avait déroulée sur la neige et avait placé le corps de son père au centre. Il avait tenté de lui mettre les bras en croix mais en vain, le froid s'était déjà emparé de lui. Lentement, savamment, il avait replié la toile. Et la corde, nouée dans un ordre précis, était venue empaqueter l'ensemble. Il avait ensuite vérifié la solidité de la dernière boucle, celle qui, au sommet de ce genre de linceul, servait d'attache pour hisser le corps sur le toit.

La nuit tombait lorsqu'il avait achevé sa macabre besogne. Elle était avancée lorsque étaient arrivés nombre d'hommes, plus qu'elle n'en avait jamais vu ensemble.

Sa mère avait séché ses larmes, son regard était désormais aussi dur que ceux des invités qui, attablés, mangeant, buvant, s'accordaient à dire que s'ils laissaient faire, ce serait le début de la fin.

— Le début de la fin, murmura-t-elle à voix haute.

Ce soir-là, beaucoup de mots avaient été prononcés, parmi lesquels, elle s'en souvint, revenaient souvent : « Nouveau poste frontière », « douaniers trop zélés parce que inexpérimentés », « leçon ». À l'issue de ce débat animé, le silence s'était fait et, tour à tour, les hommes avaient remué leur tête, signe qu'ils étaient d'accord sur la marche à suivre. Et tous, comme un seul homme, ils s'étaient retournés vers sa mère, les visages interrogatifs. À son tour, celle-ci avait opiné du chef et, même si elle somnolait assise plus loin, Sarah aurait bien juré qu'un instant les traits de la veuve s'étaient relâchés de satisfaction.

Le lendemain à l'aube, tous étaient repartis, tous armés.

Au loin, le bruit des détonations s'était fait entendre. Un peu plus tard, une épaisse fumée noire s'était étirée dans le ciel laiteux.

L'observant, même si elle était trop jeune pour le formuler distinctement, elle avait éprouvé le sentiment que tout était rentré dans l'ordre.

C'était une autre époque, elle pensa, les règles semblaient moins confuses qu'elles ne l'étaient aujourd'hui. Les chiens étaient maintenus au loin et lorsque l'un d'eux, par mégarde ou par insouciance, s'en prenait à un loup, ou faisait mine d'avancer une patte sur leur territoire, toute la meute partait en chasse pour que cela ne se reproduise plus. Et elle faisait en sorte qu'aucun des autres chiens ne l'ignore. Mais les enfants des loups d'alors avaient tous quitté ce coin-ci du monde, en quête de soleil, d'une vie plus facile. Avaient tous oublié qui ils étaient, comme elle.

Elle posa la main sur son ventre, l'infime rondeur était bien présente, lui chavirait le cœur et les méninges.

Elle commençait à comprendre, malgré tout ce qu'elle avait appris pendant ses années d'université sur l'art du compromis comme une nécessité pour bien vivre en société, ce qu'espérait Nats, ce qu'espérait Tom. Mais il était peut-être déjà trop tard.

*

— Tu aurais pu passer me voir.

— J'ai pas eu le temps.

Leïla marqua une pause, juste le temps de tirer un tabouret, de grimper dessus, de s'asseoir en rajustant la bretelle d'un petit haut qui n'en était plus un tellement il ne dissimulait rien, de poser un coude sur le comptoir.

Elle poursuivit dans la section des reproches.

— Il paraît que tu es en main et qu'elle est sacrément bien balancée. Une rouquine, à ce que l'on raconte.

— T'es jalouse ?

Elle haussa ses frêles épaules.

— Je ne me fais pas d'illusions, je ne suis pas en position de l'être. Et puis, il ne s'est jamais rien passé entre toi et moi, même si pour toi ç'aurait été gratuit, alors…

— Alors je t'offre un verre ?

Elle accepta et reprit son sourire d'enfant.

L'Irlandais nettoyait le zinc en sifflotant *Amazing Grace*. Son chiffon allait et venait selon d'amples mouvements circulaires. De son zinc, l'Irlandais était fier, faut dire qu'il le bichonnait. Chaque jour commençait à l'identique, il délayait un peu de détergent dans un seau d'eau, y ajoutait de la poudre d'émeri ultrafine et, à l'aide d'une feuille de journal, il ponçait pour effacer les traces de la veille. Il finissait par le rincer à grande eau, l'épongeait, puis venait le chiffon jusqu'à ce que le plateau soit aussi réfléchissant qu'un miroir. Ensuite, il se regardait dedans, prenait une moue satisfaite et alignait les verres comme s'il s'était agi d'une armée au garde-à-vous dont aucun des soldats ne devait sortir du rang.

Ce qu'il faisait présentement, pendant que Nats fouillait la salle du regard, inquiet de ne pas y voir Sean, pendant que Leïla retroussait sa jupe pour l'écourter davantage : les premiers clients arrivaient et, avec eux, les filles descendaient des étages.

Il se pencha sur elle, murmura :

— Le téléphone n'a pas sonné, des fois ?

Elle secoua la tête, négative. Puis elle dit en reposant son verre qu'elle avait vidé d'un trait :

— Tu ne devrais pas être là, Nats.

— Et pourquoi pas ?

Elle fit claquer sa langue à la manière d'un homme.

— À cause de Sean, il est furibard. Il taperait sur n'importe quoi qui lui tienne tête, et tu ne sais pas faire autrement que de lui tenir tête.

— Où est-il ?

— Quelque part à l'étage. Pas encore chez le vieux Tom, si c'est ce que tu crains.

— Comment tu sais ?

— Confidence sur l'oreiller, un bûcheron a vu arriver Marthe et les gosses. Pour l'instant il cuve, mais il se réveillera, et je ne suis pas certaine qu'il tienne sa langue longtemps, vu que les paris vont bon train.

— Quels paris ?

— Qui de Sean ou de toi en sortira vivant.

— Quelle est ma cote ?

— Au plus bas.

— Et t'as parié combien ?

— Tout ce que j'ai d'économies.

— T'aurais pas dû.

— Tu ne me demandes pas sur qui j'ai misé ?

Nats déposa quelques billets sur le comptoir, embrassa Leïla sur le front et s'en alla.

Il n'avait pas appris grand-chose, si ce n'est que l'attente ne durerait plus longtemps. Que ça finirait mal à moins qu'il ne déplace Marthe et les gosses.

Cependant qu'il conduisait en direction de la ferme du vieux Tom, l'idée faisait son chemin.

*

Au sortir du bois, son corps se raidit, perdit sa nonchalance pour se concentrer sur l'environnement immédiat. Il refit les mêmes gestes que toujours, ceux appris depuis l'enfance, nécessaires à la survie de l'espèce, à la sienne. Fouiller l'air de son odorat, fouiller le paysage du regard, de l'ouïe fouiller l'espace sonore, fouiller, toujours fouiller. Se positionner face au vent, faire en sorte qu'aucun effluve ne réside en suspens, aucune trace, rien. Restreindre sa masse musculaire, se tasser, rapetisser, s'amenuiser, se faire absence, se faire anonyme, se fondre blanc sur blanc, disparaître pour exister encore un peu.

Un bout de langue débordait de ses babines, récoltait et canalisait encore autant d'informations, papilles flirtant avec le tout d'un monde hostile, implacable de violence et de déraison.

L'esprit qui était le sien n'exprimait pas les choses ainsi, n'exprimait rien d'autre que méfiance et défiance, fouiller, fouiller, fouiller encore.

Rasséréné, rouvrir sa masse musculaire, respirer à pleins poumons, reprendre sa place dans le paysage *a priori* vide de danger, *a priori* seulement, et avancer, furtif, méfiant.

Déposer la carcasse de poulet, du bout du museau la recouvrir de neige, effacer toute trace, gommer, toujours gommer. Elle viendrait la chercher après la mise bas lorsque, tiraillée par la faim, elle abandonnerait ses louveteaux quelques instants.

S'en aller pour un peu plus haut monter la garde. Avant de s'allonger, sillonner le périmètre, se frotter contre un tronc, deux, trois, uriner ici et là, faire en sorte de saturer l'espace de soi. Pour en rajouter, se positionner dos au vent afin que son odeur domine toute autre et attendre que le danger vienne, et savoir qu'inéluctablement il viendra.

Grogner comme on exprime la nécessité de la survie de l'espèce.

Ne pas dormir, jamais tout à fait, jamais complètement.

Fouiller.

*

Ça le chiffonnait, ce quelque chose qui semblait être important mais qui d'évidence avait été faire un tour ailleurs, quelque part loin au-delà de sa caboche. Il se gratta le menton, s'étonna d'y trouver une barbe, réfléchit au pourquoi mais ne trouva pas les raisons qui faisaient qu'il s'était soustrait au rituel du rasoir. Ne trouva ni les raisons ni les moments de la soustraction. Cela l'inquiétait peu dans la mesure où l'on ne pouvait se souvenir d'événements inexistants, il ne s'était pas rasé, ne pouvait donc pas se souvenir des moments où il ne s'était pas rasé : logique. Mathématique.

Twigs la Levrette sourit de son implacable raisonnement, tira de la poche ventrale de sa salopette un paquet de cigarettes, s'en colla une au bec et y mit le feu. Qu'il fume ne l'étonnait pas davantage, la sensation était agréable et peu importait qu'il ait oublié à quelle occasion il avait allumé la première.

Pour être plus à son aise, il alla s'asseoir sur la chaise près du poêle. Il se releva aussitôt pour fouiller sa poche et en tirer le flingue. Il faillit le lâcher de surprise, les armes à feu l'avaient toujours mis mal à l'aise.

Le portant du bout des doigts et par le bout de la crosse, il alla ranger le revolver dans le tiroir de son bureau, ferma ce dernier à double tour et déposa la clé dans le tiroir du dessus avant de regagner sa chaise pour s'en griller une autre, tel le Twigs qu'il avait toujours été, content de lui, satisfait de la vie.

Ce faisant, il compta le nombre de véhicules peuplant le garage. Bon Dieu, il avait pris du retard question boulot.

Il visa l'heure à son poignet, s'il s'y mettait sur-le-champ il pouvait en réviser une bonne moitié, prendre une douche, se raser, panser sa plaie et filer au Terminus. Il éprouva la sensation d'avoir mérité une soirée d'ivresse et de plaisir. Même si ce n'était pas le soir pour ça, il s'y rendrait quand même. Déroger aux habitudes n'avait, après tout, jamais tué son homme.

Il écrasa sa cigarette sous sa chaussure, se leva et, d'un pas ferme, se dirigea vers un pick-up qui, capot béant, attendait au-dessus de la fosse à vidange.

*

La nuit était aussi noire que lui était blanc, aussi silencieuse qu'il était attentif. De son abri de neige qu'à coups de pattes et de museau il avait creusé, gueule posée à l'extérieur pour humer l'air, oreilles chercheuses en mouvements secs pour fouiller la nuit, il observait les rayons de lune flirter avec l'immaculé paysage. De temps à autre il se laissait gagner par un sommeil léger, quelques minutes à peine, puis il s'éveillait pour reprendre sa surveillance.

Il avait faim. Gargouillant, se tordant, son estomac lui rappelait cette évidence.

Aux aurores, il parcourrait la plaine, arpenterait les bois en quête de nourriture.

Pour elle.

Pour lui.

Bientôt pour les petits.

*

La route sinuait au travers d'une nuit sans étoiles et entre les hautes congères qu'un chasse-neige dressait sur les bas-côtés désormais chaque matin. Dans le faisceau des phares passait quelquefois un animal, il n'y avait pas cinq minutes, un renard blanc : un isatis. Dans l'habitacle surchauffé et baigné de musique classique, Nats s'évertuait à lister de mémoire tous les endroits susceptibles d'accueillir Marthe et les gosses. Il passa chaque ferme en revue, mais toujours il se confrontait au même problème, à savoir qu'aucune famille n'accepterait de peur de désobliger Sean, de peur des représailles qui, inéluctablement, s'ensuivraient. Il comprenait, la vie était déjà assez rude sans se mettre à dos le dernier des salauds. Il pensa à quelques chalets perdus dans les bois, des chalets dépourvus du superflu construits pour les besoins du bûcheronnage et de la chasse. Il repoussa bientôt cette option : pouvait y débarquer à tout moment n'importe qui. Il n'aimait pas l'idée de ce « n'importe qui » face à une femme fragile, flanquée de deux marmots.

Il leva le pied de l'accélérateur et lâcha le volant, le temps de retirer ses moufles. Le moteur toussota comme c'était son habitude à bas régime. D'une main, il fouilla la boîte à gants et en sortit un paquet de tabac puis, coudes posés sur le volant et accélérant à nouveau, il se roula une cigarette. À ce jeu-là, il était fortiche, la cibiche se retrouva vite fait, cylindre parfait allumé entre ses lèvres.

La ferme du vieux Tom apparut et, avec elle, ses fenêtres allumées.

Trop de lumière, pensa Nats.

Le pick-up vira et s'engagea dans l'étroit chemin.

Beaucoup trop de lumière pour un seul homme.

Sur le tableau de bord sautillait le flingue, chargé, cran de sûreté déverrouillé, accompagnant d'un soubresaut chaque mouvement que le chemin inégal infligeait à la vieille suspension du pick-up.

Même s'il n'aimait pas ça, il devait en convenir, Sarah avait raison. Ne restait que la ville comme solution. La fuite en avant, en espérant que, pour une raison ou une autre, les chasse-neige ne cessent pas de faire ce qu'ils avaient à faire.

— Qu'est-ce que t'en penses, Mademoiselle ?

Mademoiselle ne répondit pas, trop occupé qu'il était à fourrer son museau sous la poignée de porte, à en faire jouer le mécanisme, à y parvenir et descendre en agitant son trognon de queue.

Il n'aimait pas ça, mais le temps passait et, passant, le temps jouait en faveur de Sean. Il apprendrait bientôt où s'étaient réfugiés Marthe et les gosses et il voudrait les récupérer, quel que soit le prix à payer. Ce n'était pas une question d'amour, plus une question d'honneur. Non, désormais l'enjeu était autre : si Sean laissait faire, l'autorité du contremaître s'en trouverait malmenée et, dès lors, pas mal s'engouffreraient dans la brèche histoire de vérifier si sa réputation n'était pas usurpée… Au résultat, l'équilibre du Terminus serait chamboulé. Non, Sean n'avait d'autre choix que d'intervenir rapidement, sans quoi il perdait, dans le meilleur des cas : son boulot, dans le pire : la vie.

Et nous n'avons d'autre choix que de fuir, il pensa. Même si cette idée contrariait sa quête.

— Foutus dix pour cent, il lâcha en refermant la porte côté passager.

Puis il coupa le moteur, récupéra son flingue pour le glisser dans l'échancrure de son jean, descendit et pensa encore une fois en visant les fenêtres éclairées : « Trop de lumière ! »

Entrant, il éteignit celles de l'entrée, celle du couloir menant aux chambres et gueula pour que là-haut on se contente des lampes de chevet et qu'on ferme les volets.

Dans le salon, il ne trouva que Sarah qui, assise sur un fauteuil et penchée sur son carnet, mâchouillait nerveusement une mèche de ses cheveux, stylo en main, fusil sur les genoux. Elle releva la tête et ses sourcils s'arquèrent tels deux points d'interrogation avec, pour lesdits points, deux iris d'un vert bleuté.

— Alors ? elle demanda.

— Alors c'est la mouise.

— Nous avons la tête dehors, au moins nous pouvons respirer, c'est déjà ça.

— Plus pour très longtemps.

Elle posa son carnet sur la table et se leva pour venir le prendre dans ses bras. Nez dans son cou, elle dit :

— Tu m'as manqué.

Et c'était vrai.

Puis, le prenant par la main elle l'entraîna dans la cuisine et l'installa sur une chaise avant de sortir un plat du four. Lui servant les restes du chou farci, elle s'évertuait à sourire tandis que lui la regardait et se disait que la vie devrait ressembler à ça. Au moins de temps en temps se tenir quiète, sans rien de pire à l'horizon qu'une tempête de neige. Ouais, la vie devrait ressembler à ça plus souvent, devrait ressembler à une jolie fille rousse et souriante qui s'assied face à vous et, mains encadrant son visage, vous observe manger et vous avoue que deux jours sans faire l'amour avec vous, c'est long.

*

La main de Nats chercha sous les couvertures et encore sous les draps le ventre de Sarah, le trouva, l'attira à lui pour faire en sorte que son corps épouse le sien.

*

Le vent se levait et avec lui le soleil irradiant la façade du Terminus, celle du supermarché et celle du garage. Quiconque aurait vu Twigs aurait juré qu'il n'était plus le même. Il était rasé de près, portait une casquette propre et une salopette de jean neuve. Il en changeait une fois l'an et avait avancé la date du changement parce que, simplement, il se trouvait d'un coup propre dedans, alors pourquoi pas aussi dehors.

La mémoire de Twigs avait fait le ménage, elle ne s'encombrait plus de questionnements quant à ce qu'elle avait bien pu faire du mort, vu que, de mort, il n'y en avait plus trace non plus. Et ça, ça lui collait un sourire comme pas permis, à Twigs la Levrette. Même que des fois, dévissant un bouchon de vidange ou réglant la vis de ralenti d'un carburateur, il se mettait à siffloter. Et qu'il ait vu Sean passer au volant de son pick-up n'affectait pas sa bonne humeur. Il avait dû le lui prêter pour une sacrée bonne raison, l'une de celles, urgentes, qui fait que l'on ne refuse pas un service à un ami qui n'en est pas franchement un, et voilà tout.

Sans parler que Twigs avait désormais d'autres préoccupations, des préoccupations autrement plus passionnantes, à savoir : remplacer le godemiché dont se servait Leïla. Il avait constaté la veille que :

— Comment dire… une taille au-dessus… Comment dire… Tu vois ?

Elle avait regardé l'objet qui, maintenu par un jeu de ceintures, se dressait entre ses cuisses. Elle ne connaissait pas d'homme possédant un engin de ce calibre-là et, des hommes, elle en connaissait une ribambelle. Elle s'était abstenue de toute réflexion, se contentant de sourire.

Et c'est pourquoi Twigs, assis sur sa chaise près du poêle, se plongeait dans la lecture d'un catalogue spécialisé avec, dedans, une multitude d'images évocatrices des plaisirs à venir.

Le rose lui plaisait bien.

Le bleu était pas mal.

Il hésitait.

Ou alors celui-là, celui dont la fiche technique annonçait :

Parfait pour pénétrer et se laisser pénétrer.
Long : 28 cm diam : 5,5 cm : VAC-U-LOCK.

Le terme de « VAC-U-LOCK » ne lui disait absolument rien, mais le laissait songeur.

Il arracha le bon de commande, le remplit d'une main pressée, l'accompagna d'un chèque, et glissa le tout dans une enveloppe préalablement libellée et jointe au catalogue.

Tout à l'heure il la confierait au gros Léon qui se chargerait de son expédition.

28 centimètres de long et 5,5 de diamètre, ça le faisait rêver, Twigs.

— VAC-U-LOCK, il dit en se levant de sa chaise. VAC-U-LOCK, il répéta. VAC-U-LOCK, il chanta en exécutant un pas de danse.

*

Le ciel était clair, d'un bleu étale, espace virginal rompu seulement par les vols des corbeaux qui, croassant, allaient et venaient par petits groupes. Des bords du toit, au goutte à goutte, fondaient les stalactites, formant de larges flaques tout azurées de ciel. Ici et là perçaient au travers de la neige de longues tiges au vert encore pâle, à la force encore fragile. Doucement, la nature s'éveillait.

Nats avait averti son monde afin qu'il se prépare au long trajet qui l'attendait. Pour commencer, pour recommencer, Marthe et les gosses crécheraient à l'hôtel et vivraient sur les économies qu'il possédait, le temps qu'elle trouve un travail et un logement. Comme plan, il n'y avait pas plus simple et la simplicité faisait que quelquefois les plans réussissaient.

Il alla chercher dans le hangar un jerrican de gasoil et fit le plein du pick-up. Il aurait préféré conduire celui de Sean, plus spacieux, plus confortable, plus récent, mais il leur fallait passer devant le Terminus pour plus loin bifurquer et emprunter la route qui menait à la ville, située près de trois cents kilomètres plus au sud. Ils n'auraient pas fait cent mètres que Sean sortirait du Terminus, et Nats n'avait aucune envie d'une course-poursuite.

Après avoir fait le plein du véhicule, il nettoya le pare-brise, vérifia les différents niveaux, la pression des pneus, puis il se roula une cigarette qu'il fuma, songeur, jambes ballantes, assis sur le plateau du pick-up, Mademoiselle langue pendante, babines baveuses, à ses côtés.

Il n'avait pas mis les pieds en ville depuis bientôt cinq années et n'avait jamais éprouvé de sensation de manque ni l'envie d'y retourner. La ville, ses lumières, ses trottoirs encombrés de neige salie, rien là-dedans ne lui plaisait, et la joie qu'éprouvait Sarah à l'idée de retrouver la cité lui échappait totalement.

« Je te présenterai à tout le monde », elle avait dit alors qu'il lui faisait part de sa décision.

Le « tout le monde » en question, Nats l'imaginait composé de jeunes gens diplômés et brillants, capables de disserter des heures durant sur des sujets pointus tels que l'adaptation de l'homme en milieu froid et hostile, sans pour autant avoir jamais vu les grands espaces ni s'être retrouvés au cœur d'une tempête de neige. Nats était un solitaire et, comme tous les solitaires, il appréhendait la compagnie de ceux dont la vocation consistait essentiellement à faire partie d'une société.

Il écrasa son mégot et le glissa dans sa poche.

Et puis, les gens que lui présenterait Sarah n'en reviendraient pas qu'une si jolie fille soit à la colle avec un type à l'aspect si rude, un type plus âgé qu'elle. Et il lui faudrait, croisant les regards surpris, dédaigneux pour certains, garder les poings serrés dans le fond de ses poches, ne pas les sortir, et il ne savait plus s'il en était encore capable. La ville avait ses règles, autant dire qu'elles étaient à l'inverse de ce coin-ci de l'univers.

Non, décidément, la perspective d'un séjour citadin, aussi bref soit-il, ne le tentait pas. Sans parler que cela retarderait considérablement l'avancée de son travail.

Il secoua la tête comme pour en éjecter les pensées, se mit debout sur le plateau du pick-up et avança vers la cabine. Il vérifia dans le caisson niché tout contre que l'essentiel s'y trouvait : couvertures de survie ; tente ; lampe à pétrole ; pétrole et boîtes de conserve, fusées de détresse. Dans l'autre partie du caisson : du bois mort en suffisance ; des boîtes d'allumettes, des vieux journaux.

Il referma le caisson et, pour une fois, il mélangea les chiffres du cadenas.

Il se releva, descendit du plateau, fit le tour du véhicule, ouvrit la porte côté passager puis la boîte à gants. Son flingue ne s'y trouvait pas, alors sans doute dans le tiroir de la cuisine… Il vérifierait tout à l'heure, pour l'instant il lui fallait remplir et sangler autant de jerricans, y ajouter quelques bûches et bâcher le tout.

Derrière les carreaux du salon, les gosses le regardaient aller et venir, remplir, porter, sangler, Mademoiselle l'accompagnant dans tous ses gestes, tandis que le ciel d'un bleu glacial, maintenant à son zénith, se chargeait d'un soleil blême.

*

Derrière les carreaux, Sarah empruntait toujours les routes du passé.

Lorsque, quelques jours plus tard, les hommes étaient revenus pour débarrasser le hangar de ses marchandises, l'un d'eux en partant avait déposé sur la table de la cuisine des liasses de billets que sa mère s'était empressée de ramasser pour les ranger dans une boîte de métal, qui avait rejoint la cachetrappe. La part de son père sur les bénéfices de la contrebande et une collecte pour service rendu à la meute.

Sa mère était tombée malade peu de temps après et, malgré l'insistance de sa fille, elle refusait de se rendre en ville pour s'y faire soigner. Cette éventualité lui faisait horreur. Elle n'y était jamais allée et, pour elle, la cité représentait ce qu'il y avait de plus décadent dans l'humanité.

Tom avait fait jouer ses relations, et sans doute avait-il dépensé beaucoup d'argent pour faire en sorte que la ville vienne à elle en la personne d'un médecin. L'ayant auscultée, le praticien avait secoué la tête, négatif, puis il avait établi une ordonnance que Tom, après en avoir pris connaissance, s'était empressé de jeter au feu. La morphine, comme nombre d'autres produits, était plus aisée à se procurer par les voies de la contrebande que par tout autre chemin. De fait, chaque début de semaine, un homme recruté par ses soins passait pour les approvisionner en nourriture et en drogue et, chaque semaine, les doses augmentaient tandis que la boîte placée dans la cache-trappe se vidait.

Un jour, il n'y eut plus d'argent et Tom avait pris le relais.

Pour ses quatorze ans, il avait demandé à Sarah ce qui lui ferait plaisir, elle avait répondu : « Étudier davantage. » Dès lors, les approvisionnements contenant le nécessaire à vivre, la morphine et les cours par correspondance, qu'elle s'empressait d'ouvrir, avaient triplé de volume. Le soir venait, la nuit tombait, elle bordait la malade qui dormait déjà, le corps, le cerveau saturés d'analgésiques, et elle se plongeait dans les exercices, les faisant, les refaisant des dizaines de fois jusqu'à ce que le sommeil lui interdise de recommencer. D'autres livres s'ajoutèrent bientôt aux livraisons, des ouvrages plus aboutis que ce qu'elle avait lu jusqu'alors, elle les dévorait avec un appétit grandissant.

Tom leur rendait visite souvent, c'était l'occasion pour lui de vérifier ses connaissances, de dire : « Voilà le plus bel investissement de ma vie. »

Il ne l'appelait pas par son prénom, mais par un surnom affectueux qui pour l'instant lui échappait.

Il me reviendra en mémoire, comme le reste, pensa Sarah en observant Nats s'affairer autour du pick-up.

Un peu avant que la mort ne se décide enfin à emporter sa mère, Tom avait perdu ses jambes et fut dès lors dans l'incapacité de se déplacer autrement qu'en fauteuil roulant.

Lorsqu'elle s'était retrouvée seule, diplôme de fin d'études secondaires en poche, elle n'avait rien décidé pour son avenir, si ce n'est qu'en aucun cas elle ne voulait vivre ce qu'avait vécu la défunte, l'isolement et la solitude. Dans l'après-midi, un homme était venu les chercher, ses valises et elle. Durant le trajet qui l'emmenait chez Tom, regardant derrière la vitre la neige se retirer en partie de la plaine, elle avait espéré pouvoir s'échapper de ce monde qui lui semblait minuscule d'immensité et inversement. Mais la rêveuse qu'elle était butait contre l'évidence : l'absence de moyens.

— Prête pour l'université ? avait demandé Tom alors qu'elle entrait dans le salon.

Elle avait acquiescé, sans plus se poser de question, tout entière à sa joie. Tom se chargerait de la vente de la ferme, ceci paierait cela.

C'est ici, précisément là, qu'elle avait refermé la porte du passé pour se tourner vers l'avenir.

Ce faisant, elle avait oublié qu'appartenaient audit passé ceux qui lui offraient l'avenir.

La jeunesse est ingrate, elle renie facilement les siens, ne se souciant que de sa condition.

« Si tu veux des réponses, cherche au bon endroit »,
avait dit Tom.

Y était-elle, ou avait-elle omis quelque chose ?

*

Son poil se hérissa, chaque muscle de son corps
se tendit. D'un bond il fut hors de sa couche. Cette
odeur-là, il la connaissait pour l'avoir déjà affron-
tée. Il se positionna dans l'alignement de la tanière
pour en barrer l'accès, il n'était pourtant pas de
taille à lutter, il le savait.

Son poitrail s'abaissa jusqu'à toucher la neige.
En des mouvements rapides, ses pattes arrière tassèrent et tassèrent encore la poudreuse jusqu'à ce
qu'elle offre la dureté nécessaire, qu'elle se fasse
starting-block, puis ses babines s'ouvrirent sur ses
crocs et sortit de sa gorge un râle continu, borbo-
rygme guttural venu du fond des âges.

Ainsi prêt, il attendit, immobile, gueule ouverte,
babines retroussées dégoulinant d'écume.

L'ennemi vint bientôt, massif, se dressa sur ses
deux pattes arrière lorsqu'il le vit et gronda.

Il ne céda pas une once de terrain, grogna, hir-
sute de colère et d'intimidation, jusqu'à ce que, las
d'un affrontement qui ne viendrait jamais, l'ours
retombe lourdement sur ses pattes avant et, posément, emprunte un autre chemin.

Ses râles ne cessèrent que lorsque le plantigrade
s'enfonça puis disparut dans les bois aux branches
prisonnières du gel.

*

Le flingue était rangé dans le tiroir de la table de la cuisine. Nats poussa un soupir de soulagement. Il repoussa le tiroir et s'affaira à préparer cafetière sur cafetière et remplir une Thermos du liquide brûlant. Il projetait de faire six à sept heures de route, peut-être davantage.

L'adolescente se tenait, bras croisés, dans l'encadrement de la porte, l'observait, tendant vers lui une moue butée.

— Ça ne sert à rien, elle dit.

— Qu'est-ce qui ne sert à rien ? il demanda

— De fuir. Il nous retrouvera !

Il suspendit son geste pour lui répondre, mais déjà elle avait rejoint son jeune frère au salon.

Deux litres de café, voilà qui devrait aller.

Bien sûr qu'il les retrouverait, mais, pour le moment, il n'avait pas de meilleur plan si ce n'était celui de gagner du temps. Bien sûr qu'il les retrouverait, mais, ce jour-là, il serait là. Il n'avait pas l'intention de lâcher Sean d'une semelle. S'il s'absentait, il le pisterait et dès qu'ils seraient hors des frontières du territoire du grand patron, hors du territoire du mâle alpha, il aurait enfin les mains libres et n'hésiterait plus, dix pour cent d'incertitude ou pas.

La donne avait changé.

Il serait père bientôt. Il ne permettrait à aucun chien de rôder autour de la meute naissante.

Il revissa le bouchon de la Thermos, s'assura de son étanchéité en la retournant au-dessus de l'évier. Satisfait, il la posa sur la table à côté d'un gros pain emmailloté dans un torchon, d'un morceau de viande séchée et de quantité de paquets de biscuits secs.

— Le moins que l'on puisse dire, c'est que tu es prévoyant, lança Sarah en entrant dans la cuisine.

Loin, là-bas, se fit entendre le bruit d'un moteur.

D'une main, il l'attira à lui et l'immobilisa, l'autre il la posa sur sa bouche en guise de bâillon. Quelques instants passèrent, mais rien, si ce n'est le vent s'engouffrant dans les chéneaux. Enfin il relâcha son étreinte et dit :

— On s'en va.

— Dès que Marthe sera prête.

— Où est-elle ?

— Elle s'habille.

Le plancher au-dessus de leur tête grinçait à petits pas.

— Et le vieux Tom ?

— Il change une pièce de l'alambic.

Nats acquiesça en réunissant café et provisions dans un panier d'osier qu'il déposa sur le carrelage, tandis que Sarah se rendait au salon pour aider à enfiler un manteau, une paire de gants, enrouler une écharpe…

Son regard fit le tour de la pièce pour s'assurer qu'il n'oubliait rien, mais non. Aussi sortit-il de la cuisine, traversa le salon et ouvrit la porte de la pièce réservée à l'alambic.

Sa sensation fut la même que chaque fois qu'il y pénétrait, celle d'une sorte de monde futuriste où les machines auraient pris le pas sur l'humanité et auraient saturé le moindre espace de leur architecture.

Le vieux Tom avait basculé de son fauteuil roulant à une sorte de balançoire maintenue par des chaînes accrochées à des pitons fichés dans les solives. Ainsi suspendu, jouant des poulies pour se déplacer, il découpait une section de cuivre qui bientôt tomba au sol et rebondit dans un son de cloche. À l'aide d'un papier de verre, il effaça les aspérités du métal tranché, puis il posa des manchons et remplaça la section découpée par une autre plus large. La flamme de la lampe à souder vint lécher le cuivre, assez pour que le fil d'étain qu'il mit en contact avec le métal brûlant fonde et aille combler le moindre interstice.

Il observa la nouvelle section sous toutes les coutures, esquissa un sourire mitigé.

— Remonte la pression, il demanda.

Nats s'exécuta, l'alambic bourdonna de nouveau.

— Parfait, fit le vieux Tom, scrutant son travail, constatant que la soudure était hermétique.

Il joua des chaînes et des poulies et se laissa descendre sur son fauteuil.

Une fois assis, il dégoupilla la manille de la balançoire, retira l'assise de dessous ses fesses, la referma et, tirant sur la chaîne, la remit en place au-dessus de leurs têtes.

— Tu les emmènes en ville ?

— C'est mieux comme ça, non ?

— Mieux, oui, mais provisoire. Tu sais que Sean ne peut pas les lâcher.

Après un long silence songeur, d'un mouvement de tête, le vieux Tom acquiesça et ajouta :

— Ne traîne pas plus de quelques jours, il faut livrer la gnôle.

*

Il semblait à Sarah que Nats recouvrait enfin la raison. Il lui semblait que ce faisant, tous deux progressaient. Durant leur séjour en ville, ils logeraient dans son appartement, il avait accepté. Marthe et les enfants logeraient à l'hôtel, en attendant mieux.

Pragmatique, elle s'était inquiétée des frais d'hébergement et du « mieux » qui s'ensuivrait. Ils progressaient : elle avait eu droit à une confidence. L'argent dans le vaisselier couvrirait les dépenses.

— C'est donc à ça qu'il était destiné, à aider la femme et les gosses d'un… d'un chien ?

— J'avais plutôt pensé à sa veuve et à ses orphelins, il avait rétorqué.

— Dis, Nats, pourquoi tu ne règles pas ça maintenant et à ta manière ? À notre manière, celle de mon père, celle de…

— Parce que je tiens à la vie d'une autre et, depuis que je t'ai rencontrée, à la mienne.

— D'une autre ?

— Une vie innocente malgré les apparences. Une vie qui mériterait d'avoir une seconde chance.

284

— Elle est importante, cette autre vie ?

— Pas comme tu l'imagines, mais oui.

Ils progressaient.

— Combien as-tu payé la ferme de mes parents ?

Nats lui avait donné un chiffre. Il ne suffisait pas à couvrir les années d'université, le gîte, le couvert et tout le reste dont le carnet faisait mention au jour le jour.

J'ai une dette envers Tom, elle avait pensé.

Ils ne pourraient s'absenter que quelques jours, « le Terminus d'ici là aura soif », disait Nats. Mais quelques jours suffiraient pour le convaincre qu'il était temps de remettre en cause sa façon de vivre. Elle en profiterait pour l'inciter à fréquenter une autre société, une qui n'érige pas le combat en règle de vie. Et pour qu'il comprenne la nécessité de l'effort, pendant que ses poings se fermeraient dans ses poches, elle ferait à son tour un effort. Elle cesserait, comme elle l'avait toujours fait, de renier ses origines. Mieux, elle les afficherait sans honte à son bras.

Ils progressaient à deux, bientôt à trois.

Elle avait une dette envers Tom, de quoi le remboursement serait-il fait ?

« Si tu veux des réponses, cherche au bon endroit. »

Cette phrase l'obsédait.

Sarah s'assura qu'il était occupé à distiller, puis elle baissa la poignée du bureau du vieux Tom et entra.

Elle fit le tour de la pièce, cherchant, donc, ce qui ne manquerait pas d'être dissimulé mais toutefois présent. Il existait une cache-trappe dans toutes les fermes. Il fallait être né dans ce coin-ci du monde pour le savoir. Elle le savait, et, pour des questions de commodité, elle ne pouvait être ailleurs que dans cette pièce-ci. Un léger détail attira son attention, elle se pencha, c'était bien ça. Le mécanisme se déverrouilla dans des cliquetis huilés et la trappe s'ouvrit sur une longue boîte de bois blanc. Elle la tira vers elle, la déposa sur le secrétaire et en souleva le couvercle. Elle décrocha la chaîne qu'elle portait au cou, les alliances de ses parents au bout et les rangea. Ici, elles seraient en sécurité jusqu'à leur retour.

Inutile qu'elle fouille la boîte, elle savait ce qu'elle contenait. Sa mémoire venait de libérer le reste de ses souvenirs, avec eux, le surnom que lui donnait Tom enfant : la combinaison de la cache-trappe.

Elle replaça la boîte, referma la trappe et sortit.

Elle savait désormais comment régler sa dette, mais doutait d'y être prête.

*

Buste penché en avant, tête plongée dans la pénombre, cul collé sur son siège d'autocar, Raphaël passa la douane.

De l'autre côté de la frontière, il respira tout à son aise, regardant d'un œil distrait le paysage s'enneigeant toujours davantage. Quelques minutes plus tard, épuisé, il s'endormit.

Dans ses poches lui restait à peine de quoi s'offrir une à deux nuits d'hôtel, peut-être trois. C'est tout ce qu'il possédait, pas de bagages, pas de remords, juste quelques billets et l'espoir que la cavale finisse enfin. Il se contenterait de sandwichs et de café, il économiserait : aucun excès.

Le chauffeur le réveilla, le secouant par l'épaule, l'apostrophant par des « Fin du voyage, terminus ! ».

Descendant les marches de l'autocar, Raphaël cligna des yeux, autant de fois qu'il le fallait pour qu'ils s'habituent à la lumière blanche, glacée, irradiante. Ce n'était pas une ville, à peine une bourgade. Il fourra les mains dans ses poches et se dirigea d'un pas lourd vers la grande façade blanche, il pourrait s'y réchauffer et s'offrir un café chaud.

« Putain de vie », il maugréa, en poussant la porte tambour.

*

Nats se tenait derrière la fenêtre du salon, une main posée sur un carreau, une autre sur la hanche, il pensait, repensait encore à la ville, à ces quelques jours d'exode à venir.

Il l'acceptait mais il n'aimait toujours pas cette idée.

Il vérifia l'heure à la pendule accrochée au mur au-dessus de l'évier : au Terminus, la clientèle n'était pas encore imbibée d'alcool, les filles n'étaient pas encore descendues des étages.

Il leur fallait patienter encore avant de partir. Attendre que Sean prenne son service, qu'il ne pourrait quitter sous aucun prétexte sans subir une punition exemplaire, définitive.

Il ne se mettrait pas à la faute, quelle que soit sa fureur.

L'adolescente avait repris sa place dans l'encadrement de la porte, épaule posée contre un chambranle, bras et jambes croisés, le jaugeant du regard. Elle était vêtue d'un manteau trop grand pour elle, duffle-coat emprunté dans la garde-robe de feu Mme Vieux Tom. Il lui tombait au niveau des chevilles et lui conférait cet air grotesque et à la fois attendrissant des petites filles grimpées dans les escarpins de leur mère. Il aurait aimé lui dire que tout se passerait bien, la rassurer, mais il se contenta de récupérer le panier, de lui passer devant pour gagner le salon où chacun attendait. Ce faisant il rencontra ses yeux. Ils ne cillèrent pas, ils étaient aussi froids, aussi durs et aussi bleus que ceux de son père.

Il déposa le panier sur la table, jeta dedans une poignée de cartouches, y glissa un fusil, canon vers le bas, puis il releva la tête pour réaliser que quelque chose clochait.

Il fouilla la pièce du regard. Il y avait bien là le vieux Tom, que Sarah, penchée, enlaçait pour un au revoir. Il y avait bien là le jeune garçon jouant à tirer à l'aide d'un pistolet imaginaire fait d'une bûchette, sur des ennemis non moins imaginaires. Il se retourna : il y avait bien là l'adolescente, désormais assise sur la table de la cuisine, jambes ballantes, remuantes, mains fourrées dans les poches de son manteau et regardant le plafond, l'air d'être tout à fait ailleurs.

Il y avait bien là tout le monde, sauf Marthe.

Il délaissa son panier et toute autre préoccupation pour s'approcher de la fenêtre donnant sur la cour et, nez collé à la vitre, il en scruta chaque mètre carré.

Il repensa au bruit de moteur, fugace, entendu tout à l'heure. Il regrettait de n'être pas allé vérifier si au bout du chemin un véhicule était garé ou si des empreintes de pneus marquaient la neige. Il regrettait sa légèreté et, d'ici, il lui était impossible d'obtenir une réponse.

Mademoiselle avait délaissé son canapé pour, oreilles tendues et râle en fond de gorge, se positionner derrière la porte d'entrée.

Un frisson parcourut son échine, décidément, quelque chose ne tournait pas rond.

Et voir Marthe sortir du hangar avec au bout du bras une valise ne le rassura pas, la voir ranger la valise sous la bâche du vieux pick-up puis en faire le tour et ouvrir la portière pour déposer sur le tableau de bord une peluche – celle du gamin sans doute – ne le rassura pas non plus.

Elle n'aurait pas dû être là, pas déjà. Elle n'aurait pas dû transvaser ses affaires d'un pick-up à l'autre, pas maintenant. Pas avant que Sean ait pris son service. Bon Dieu, qu'est-ce qu'elle avait dans la tête ?

Encore une fois il scruta la cour, la fouilla plus intensément encore.

Marthe claqua la porte du vieux pick-up tandis que la main de Nats cherchait son flingue dans son dos.

Elle fit demi-tour et reprit la direction de la ferme.

Elle marchait péniblement, faisant attention à chaque pas de ne pas éveiller la douleur.

Un flingue absent.

Elle grimpa la première marche du perron et sur cette marche se dessina soudain une ombre en plus de la sienne. Une ombre bientôt écrasée par l'imposante stature de Sean.

Nats gueula mais resta planté là, figé, fasciné par la scène : cette façon de tendre le bras, de saisir une nuque, de pousser un corps presque en le portant et d'ouvrir la porte d'un coup de pied. Ces gestes, cette succession de gestes, Nats la connaissait.

La connaissait depuis toujours ou presque.

Les dix pour cent d'incertitude fondirent d'un coup, il recula, se retourna et fit face. De la main il chercha le fusil sur la table, le second, puis, parce que le canon d'une arme ouvrait un œil en direction de Sarah, il abandonna sa recherche et plongea pour s'interposer.

Il sentit les projectiles ouvrir sa chair, là, juste au niveau de l'épaule. Il sentit partir en des dizaines de débris ses os, accompagnés d'autant de gouttes de sang et de particules de peau. Il se sentit tomber, penser que tout son corps se rompait au contact du plancher. Et puis plus rien, si ce n'est l'ampoule nue qui au plafond se balançait.

Qui dansait, comme dans son souvenir.

*

La chasse avait été infructueuse, aussi, la nuit tombée, il avait repris le chemin de la bourgade.

La poubelle céda sous son poids, bascula et vint répandre au sol son contenu. Du museau il fit le tri, poussa de côté deux belles carcasses de poulet, dévora quelques restes de-ci, de-là sous l'œil craintif des chiens, tapis, serrés les uns contre les autres, soumis.

Un peu plus tard, il passa entre eux, crocs saillants, carcasses de poulet en gueule, grondant, dédaigneux. Il marcha tel un roi au milieu de ses sujets, puis, après leur avoir jeté un dernier regard, il s'enfonça dans la neige, laissant derrière lui les lumières.

La première carcasse, il l'abandonna loin de sa tanière, il la fit leurre, la déposa sur une odeur d'ours. Il tourna en rond, imprégnant chaque tronc de son odeur, se frottant, puis, d'un bond et seconde carcasse en gueule, il s'écarta du jeu de pistes, développa sa foulée et pénétra dans le sous-bois.

*

Il reprit ses esprits alors que Sean se débarrassait de Mademoiselle d'un coup de pied, que dans le même mouvement il propulsait Marthe devant lui, de bouclier il n'avait plus besoin. Sarah la recueillit dans ses bras, pleurant, psalmodiant des excuses comme quoi elle ne l'avait pas fait exprès, qu'elle était désolée. Nats s'éveilla nauséeux et s'adossa à un pied de table. De son bras valide, du bout des doigts il chercha un fusil sur le plateau, mais inutile, Sean avait fait le ménage. Sean qui tournait en rond, arme au poing, jaugeant au passage chacun, d'un regard mauvais.

Puis il stoppa sa réflexion et sa marche, se retourna vers le vieux Tom et, désignant Sarah du bout de son flingue, il dit :

— Je veux bien croire qu'elle et toi n'y êtes pas pour grand-chose, mais il faut bien que quelqu'un paye. Il faut toujours que quelqu'un paye, pas vrai ?

Et il mit Nats en joue.

— À ta place, je ne ferais pas ça.

— Et pourquoi pas ? Parce que le vénérable vieux Tom me le demande et qu'à ce qu'on raconte il a le bras long ?

— Oui, et il s'en servira pour t'offrir une fin de vie dont tu ne mesures même pas la souffrance.

Sarah avait prononcé ces mots sans colère, et son regard était débarrassé de toute empathie. Un regard que Nats ne lui connaissait pas encore.

— Si elle le dit ! confirma le vieux Tom.

Sean hésita, baissa soudainement son flingue et se dirigea vers la fenêtre. La neige recommençait à tomber en flocons serrés, déjà une fine pellicule recouvrait la bâche du pick-up. Il resta silencieux un moment, le temps que Nats, d'un froncement de sourcils, intime à Sarah l'ordre de ne pas bouger, celui de retenir Mademoiselle qui, grognant, qui, grattant le plancher de ses pattes avant, écumait de rage. Ça allait, même si sous la pulpe de ses doigts il sentait des débris osseux et pas mal de sang bouillonner.

Sean posa son front sur un carreau de la fenêtre, émit un grognement, répéta :

— Il faut que quelqu'un paye, tous si nécessaire.

Et il fit volte-face pour marcher sur Nats et s'agenouiller près de lui. S'approchant de son oreille, il murmura :

— Nous savons tous les deux qu'il faut que quelqu'un paye, parce que, sans ça, je n'aurai jamais la paix. Chaque minute je me demanderai si tu n'es pas en train de m'attendre, planqué ici, caché là, pour avoir ta revanche.

— C'est ton style, ça, pas le mien. Et puis, si tu fais ça, t'es mort, les gosses et Marthe avec. Tu connais le contrat.

— Je le connais, sans ça je…

Il s'interrompit, plissa les yeux, fronça les sourcils. L'épaule de Nats était largement découverte, le tissu de sa chemise pendait en lambeaux, laissant apparaître sur ses épaules la naissance d'une cartographie cicatricielle.

— Nom de Dieu, grogna Sean.

Il se saisit de l'étoffe et tira d'un coup sec. La chemise céda, imbibée de sang elle se fit ceinture lâche, le laissant torse nu.

— Si ton rêve c'était de me voir à poil, t'aurais pu t'y prendre autrement.

Sean ne releva pas, fixait l'épaule lacérée avec sur la gueule un rictus teigneux. Puis il glissa sa main derrière la nuque de Nats, l'attira à lui, plaqua sa tête contre son torse tout en maintenant le canon de son fusil sur sa tempe, et, observant son dos par-dessus l'épaule sanguinolente, il y alla d'un autre « Nom de Dieu ».

Puis il le lâcha et se releva prestement.

Maintenant debout, il fit quelques pas en arrière, secoua la tête et leva le bras, fusil au bout, le doigt pressé sur la détente, dit encore :

— Nom de Dieu !

— En souvenir du mauvais vieux temps ? demanda Nats.

Il obtint comme seule réponse le bruit déchirant d'une déflagration.

Et le cri de Sarah.

Et les aboiements de Mademoiselle.

*

Une détonation se fit entendre, suivie d'une autre. Son cœur accéléra ses battements tandis que lui développait davantage sa foulée. Il fit le tour de la colline, puis il ralentit sa course, la stoppa tout à fait, déposa la carcasse et s'assit. Dissimulé derrière un épais buisson d'épineux, il observa un long moment la maison des hommes. Un mince filet de fumée s'échappait de la cheminée pour trouver son chemin entre les flocons de neige et s'étioler dans un ciel qui avait troqué son bleu nuit contre un blanc opaque et laiteux. Le vent portait des bruits de voix, des bruits d'hommes qu'il n'aimait pas. Un chien aboya, un autre lui fit écho presque aussitôt et le silence revint. Fouillant l'air de ses naseaux, il attendit encore. Il détecta des fragrances d'essence de pins, l'odeur d'un campagnol, rien d'autre. Aussi reprit-il sa carcasse en gueule et, furtivement, poursuivit sa route.

*

Le tiroir de la table de la cuisine bâillait, l'adolescente laissa retomber son bras dans un geste de lassitude, desserra l'étreinte que ses doigts imprégnaient à la crosse. L'arme heurta le carrelage dans un bruit sec, roula en autant de cliquetis et s'immobilisa. Elle la regarda fixement tandis que le corps de son père s'écroulait, inondant de sang le plancher. Puis elle alla s'asseoir sur le canapé, déboutonna le manteau trop grand pour elle, en dégagea les pans, fourra ses mains jointes entres ses cuisses et fixa le plafond en chantonnant, comme si ce plafond-là avait été tout autre chose, une myriade d'étoiles par exemple, une myriade qui, d'un coup, se serait mise en mouvement.

Elle souriait.

*

La neige devenue trop fragile se détachait par blocs entiers ou au goutte-à-goutte, venant former de multiples lacs microscopiques dans lesquels un astre sans éclat se mirait. Une brume inondait la plaine, une brume basse à hauteur du regard des hommes qui, la journée avançant, se faisait volatile et s'évanouissait. Le gel relâchait son étreinte, les bois craquaient de vie, laissaient choir leurs branches mortes désormais privées d'attelle. Au sol, sorties d'un long sommeil, couraient vermines et bestioles, les unes se nourrissant des autres, les autres se nourrissant des unes.

La lumière dessinait sur le plancher de vagues formes géométriques, étirait des ombres, éclairait le visage de Nats s'éveillant.

Il prit conscience d'être dans sa chambre, d'être dans son lit. Il aima cette idée-là et aima aussi le visage de Sarah penché sur lui. Il tenta de s'asseoir mais la douleur l'en empêcha, son avant-bras était collé à sa poitrine, maintenu par un bandage serré. Il n'insista pas et demanda :

— Verdict ?

— Clavicule pour moitié emportée par la balle, mais d'après Tom ça devrait aller. Il m'a dit de te dire qu'il suturait aussi bien qu'il soudait.

Nats sourit. De sa main valide, il la prit par la taille et l'attira à lui.

Elle se refusa, se leva pour fouiller dans la table de chevet, en sortir une épaisse enveloppe de papier kraft et la lui tendit en disant :

— Une jeune fille est passée.

— Quel genre de jeune fille ?

— D'un mauvais genre. Elle m'a confié ça pour toi.

— Faut pas te fier aux apparences. C'est une chouette enfant.

— Elle n'avait pas l'air d'une enfant.

Elle fit mine de s'en aller. Il la pria de rester. Elle resta mais se tint loin du lit, mains posées sur ses hanches, tandis qu'il ouvrait la boîte

Il en sortit un paquet de billets froissés et une feuille de papier qu'il déplia pour y lire :

Ta part sur les gains du pari.
Merci et à jamais.
Leïla qui t'aime.

Il froissa la feuille en une boule qu'il envoya dans l'âtre. Les flammes la léchèrent, la noircirent et la consumèrent jusqu'à ce que ses cendres s'enroulent de fumée et s'envolent à l'air libre.

— C'était elle, l'autre vie ? elle demanda.

Il éprouva la sensation que quelque chose en elle avait changé. Qu'elle était, comment dire, désormais une femme. Il posa une question en retour :

— Et lui ?

— Si tu parles de Sean : mort et enneigé. Tom a fait ou va faire le nécessaire.

Elle semblait lointaine. C'était bien ça, son visage était désormais débarrassé des airs de petite fille qu'il lui connaissait. Elle s'approcha.

— Nats, je…

— On part dès que je peux me lever.

297

Elle reprit son sourire. Plus tout à fait le même qu'avant, mais…

Mon Dieu, il pensa : le sourire de Sarah.

Désignant les billets qui, épars, se faisaient couverture supplémentaire, il ajouta :

— Pour s'installer en ville, ça devrait aller.

Elle lui fit signe que oui, puis elle prit son visage entre ses mains et sur sa bouche déposa un baiser. Un baiser aux lèvres molles, à la langue douce et chercheuse, un baiser tout habillé de désir.

Quelques instants plus tard elle se redressa, ramassa les billets qui traînaient sur le lit, les réunit, les rangea dans l'enveloppe et dit :

— Je préfère ne pas te demander d'où ils viennent ni quel était la nature du contrat qui t'unissait à Sean.

— Ça tombe bien, je t'aurais pas répondu.

Sur le pas de la porte, elle marqua un temps d'arrêt.

— Un jour, il faudra que tu me répondes, Natsume.

— À partir de demain, sur tout ce qui concerne la veille, promis !

Elle hésita à ajouter un mot, deux peut-être. Puis, après tout, rien ne pressait, il apprendrait bien assez tôt qui elle était. Elle se ravisa donc et referma la porte doucement.

Une fois seul, Nats se concentra sur les souvenirs : cette façon de tenir une nuque, de la porter en avant et d'un coup de pied ouvrir une porte… Ces gestes, sur le moment, il était certain de les connaître, de les avoir reconnus. À présent, il doutait. Il rembobina ses pensées, relança la pellicule mémoire au ralenti, recommença des dizaines de fois, sans résultat, sans conviction formelle.

Il n'était pas plus avancé aujourd'hui qu'hier. Et rien dans les dernières paroles de Sean ne ressemblait à un aveu. « Nom de Dieu », il avait dit et répété après avoir vu son dos. Était-ce un aveu ? C'en était un à, disons, quatre-vingt-dix pour cent.

Décidément, les dix pour cent restants résideraient à jamais où ils étaient, côté doute.

Il haussa les épaules et se mordit les lèvres de douleur.

Sa pensée erra encore un peu et échafauda une théorie à propos du mâle alpha. Nats estimait à présent qu'il aurait dû intervenir parce que, d'évidence, Sean avait mis en péril la tranquillité du Terminus, avec elle, les affaires. Il aurait dû leur apporter une aide extérieure. Il aurait dû, sauf s'il savait que l'aide viendrait de l'intérieur.

Sauf s'il l'avait toujours su.

De sa main libre, il attrapa l'assiette que Sarah lui avait préparée. Du bout de la fourchette, il touilla ce qu'il y avait dedans sans pouvoir décider à quel genre alimentaire appartenait la chose. Il goûta, fit la grimace : bon Dieu, fallait qu'il se lève d'ici peu pour s'en aller parce que plus rien ne le retenait ici, plus le « travail » en tout cas, et pour cuisiner aussi.

Pour le reste :

— On verra bien, il dit à voix haute, avant de s'endormir d'un sommeil paisible.

Le premier depuis longtemps.

Assiette pleine et posée sur le ventre.

En contrebas de la colline, à grands coups de pelles, deux hommes faisaient voler la neige par-dessus leurs épaules. Il les observait, tapi, museau planté dans la blanche poudreuse. Il ne les lâchait pas des yeux. Une fois que le trou fut assez profond, l'un des hommes débâcha le plateau du pick-up et tira par les pieds un corps sans vie, jusqu'à ce que, mollement, il tombe au sol. Il sentait ça d'où il se tenait, la mort émet une odeur particulière, pas vraiment différente d'une autre, mais particulière. Plus tard, les deux hommes repartirent dans un bruit de moteur après avoir recouvert le corps et tassé du plat de leurs pelles la tombe de fortune. Il resta là, tendu, aux aguets, une autre odeur se dessinait, plus lourde, plus massive, plus dangereuse. Il se tassa davantage lorsque vint l'ours qui, reniflant, qui, grattant la neige de ses griffes, se désintéressait de tout sauf de ses fouilles.

Plus tard encore, rassasié de la chair d'une jambe désormais détachée de son tronc, l'ours céda la place à une nuée de corbeaux venus se repaître à leur tour tandis que lui regagnait le haut de sa colline.

*

Le téléphone sonna.

L'Irlandais hésita, mais comme Sean devait, à l'heure qu'il était, être délesté de ses dents, de ses doigts, lui faisant au passage perdre une fois encore tout son fric, il alla décrocher en marmonnant :

— Toujours parier sur l'absence de style !

À l'issue de la courte conversation, il revint derrière son comptoir et passa les clients en revue, recommença. Le nouvel arrivant lui plaisait assez et, chose rarissime à cette heure, il en était au café et pas encore à la gnôle. Deux jours qu'il ne consommait que ça. Il s'approcha, se pencha par-dessus le zinc et demanda :

— Tu chercherais pas du boulot, des fois ?

— Ça se pourrait bien, répondit le nouveau en levant le nez de sa tasse.

Son regard était franc, sa gueule bigarrée de cicatrices racontait qu'elle avait vécu pas mal d'emmerdements, sa stature était carrée. Ça devrait aller, pensa l'Irlandais, avant de reprendre :

— Tu sais cogner et te servir d'un flingue ?

L'étranger hésita à répondre, ses yeux s'égarèrent côté salle où les filles faisaient leur entrée. Rasséréné, il haussa ses lourdes épaules.

— Si je ne savais pas, sans doute que je ne serais pas ici et maintenant, pas vrai ? Ça consiste en quoi, le job ?

— À servir des verres et à me filer un coup de main quand ça dégénère.

L'étranger acquiesça.

— Comment tu t'appelles ?

— Raphaël.

— O.K., va pour Raphaël. Raphaël, tu es nourri, logé, payé chaque fin de semaine, et tu n'as aucun privilège sur les filles. Tu les traites avec respect à défaut de tendresse, et si tu consommes, tu payes. Et jamais pendant le service.

Raphaël acquiesça de nouveau.

— Tu commences tout de suite, conclut l'Irlandais en lui posant son chiffon blanc sur l'épaule.

Sur ce, il alla ouvrir le coffre dont il possédait désormais la combinaison pour en prélever des liasses de billets, qu'il alla aligner sur la table du fond derrière laquelle il s'assit en souriant.

C'était jour de paye.

Et tournée générale.

*

Quelques kilomètres plus au sud, un vieil homme regardait le combiné qu'il venait de raccrocher. Pensif, il resta là quelques minutes, immobile, le regard au-delà des carreaux de la fenêtre.

Pour le contremaître, c'était réglé. Restait plus qu'à recruter un garde-putes. L'Irlandais n'avait pas l'envergure de Sean, ne pourrait assumer les deux jobs de front longtemps.

Ah, et aussi un percepteur, vu que la dernière recrue n'avait trouvé rien de mieux que de se perdre, et encore rien de mieux que de s'arrêter devant sa porte pour demander son chemin. Avait-il reconnu sa voix ? Il n'en était pas certain, mais on ne gérait pas une affaire comme le Terminus avec des incertitudes.

Lui restait aussi à embaucher une fille pour remplacer Leïla.

Et faire installer un autre téléphone au Terminus, un autre destiné au garde-putes qui, s'il sonnait, signerait l'arrêt de mort du contremaître.

Une aide ne viendrait pas toujours de l'intérieur.

Ainsi, le système lui parut moins perfectible.

Derrière les carreaux de la fenêtre, un pick-up alignait des valises sur son plateau.

Regardant l'homme qui chargeait d'autres valises encore, il ressentit un léger pincement au cœur. Celui-là allait lui manquer. Le vieil homme avait toujours eu de l'affection pour ceux qui ne faisaient pas étalage de leur vie et encore moins de leurs sentiments.

Celui-là allait lui manquer. Mais il reviendrait, de ça il était certain. Les loups ne supportent qu'un temps la compagnie des chiens. Et sa place était ici, à côté d'elle.

Il délaissa son observation et se saisit d'une liasse de billets. Elle était enroulée sur elle-même et sertie par un élastique. Il se demanda comment le porteur de valises avait pu dégotter une somme aussi rondelette, une somme qui visiblement ne provenait pas de ce coin-ci du monde.

Que lui importait.

Il déroula la liasse, écarta le petit mot qui l'accompagnait, la divisa et rangea le reste. Il contempla la moitié qu'il tenait en main, se ravisa et la divisa encore.

À son idée, il n'y avait que deux manières d'aider son prochain, soit en lui procurant de quoi subsister et donc de quoi entreprendre, soit en le poussant dans la tombe.

— Subsister pour entreprendre, il murmura.

Puis il ajouta :

— Le reste, je te les mets de côté pour les jours difficiles. Pour les enfants plus tard.

Ce qu'il fit, toujours dans la même boîte.

À côté des titres de propriété du Terminus et d'autres titres encore. À côté de deux alliances réunies par une fine chaîne en or.

Il décrocha à nouveau son téléphone. On ne gérait pas non plus le Terminus en s'épanchant à tout va.

Donnant ses ordres, refermant la cache-trappe, il se saisit du petit mot précédemment délaissé. Regarda une dernière fois par la fenêtre pour contempler le pick-up chargé de valises qui s'éloignait.

Elle aussi allait lui manquer.

D'elle, il ne craindrait jamais rien, elle avait enfin admis qui il était, qui elle était. Elle était de ce coin-ci du monde et par la force des choses elle deviendrait la louve alpha. Alpha, c'est ainsi qu'il l'appelait alors qu'elle n'était qu'une enfant. La dernière et l'héritière légitime de la grande meute d'antan. Elle apprendrait un jour à dominer ses colères, ses réticences, puis elle apprendrait à dominer tout court lorsque lui n'en serait plus capable. Elle lui devait ça, elle l'avait enfin compris. Puis d'autres naîtraient et écraseraient les chiens à jamais. Réaliseraient ce que lui n'avait jamais réussi, faute de mobilité.

Il l'espérait.

Sur le petit mot il lut :

Pour Marthe, de la part de Nats.

Il raccrocha, satisfait, le nouveau livreur de gnôle prendrait son service très bientôt.

Il raccrocha, et son geste eut pour conséquence de faire grincer le cuir de son fauteuil roulant.

*

Son poil perdait sa couleur blanche, muait du gris clair au gris plus sombre, cernant ses yeux, striant le dessus de son museau de noir absolu. Il posa sa patte avant sur une plaque de glace, elle céda sous son poids, libérant l'eau qu'elle renfermait. La soif lui tiraillait les entrailles mais il ne but pas, pas encore. Ses oreilles se dressèrent, se figèrent, et il releva la gueule pour la regarder elle, qui passait sa tête hors de la tanière. Avec méfiance elle avança sous le soleil. Derrière suivaient, maladroits sur leurs pattes, deux louveteaux.

Au loin passait un vieux pick-up chargé de valises. Il le suivit des yeux jusqu'à le perdre.

Rassuré, il s'avança, régurgita sa chasse, bouillie de campagnols, quatre ce matin, puis il fit quelque pas à reculons et se tapit.

Hésitant, clignant des yeux sous la lumière, vint se joindre un troisième petit au repas.

Du dedans sortaient les loups.

Épilogue

D'une main moite et noire de cambouis, Twigs sortit son paquet de cigarettes de la poche avant de sa salopette. Il n'en restait qu'une. Il la glissa entre ses lèvres, l'alluma, froissa le paquet vide et l'envoya valdinguer dans la caisse à côté du poêle, celle réservée aux papiers d'allumage.

— Panier ! il gueula, sourire juvénile et édenté collé aux lèvres.

Il déposa son tournevis sur l'aile du pick-up qu'il était en train de réviser, puis il alla décrocher son anorak de la patère pour l'enfiler et prendre la direction du supermarché, clope au bec, paluches dans les poches et fredonnant.

Comme à son habitude, le gros Léon résidait grassement derrière sa minitélé et s'empiffrait de friandises en sachet tout en regardant une série dont l'intrigue consistait principalement à ne pas en avoir.

Enfin il daigna lever le nez de son écran et servir Twigs : deux cartouches de cigarettes, non : trois, et deux briquets. Il ne prononça pas un mot, encaissa et rendit la monnaie, toujours taiseux. Puis, tandis que son mécano de client ouvrait la porte pour s'en aller, dans un soupir qui semblait lui coûter, il lâcha :

— Faudrait voir à me débarrasser de ton colis.

Twigs suspendit son geste et fit demi-tour.

— Il est arrivé ?

En guise de réponse, le gros Léon fit tinter sa sonnette de comptoir pour mander son commis. *Illico presto*, un garçon fluet glissé dans une blouse blanche immaculée se pointa et invita Twigs à le suivre.

Ils traversèrent le magasin, passèrent d'un rayon au suivant. Twigs jubilait, pensait qu'il essaierait l'engin pas plus tard que ce soir, et ne s'étonnait pas que le colis ne lui soit pas remis au comptoir, comme toujours.

Ils atteignirent le dépôt où quantité de palettes s'empilaient tels des gratte-ciel de bois, le traversèrent, empruntèrent une allée flanquée de marchandises de toutes sortes, puis une autre, avant que le commis ne stoppe leur marche pour faire jouer la poignée de la chambre froide et en tirer la porte dans un grincement.

Twigs se demanda ce qu'un godemiché pouvait bien foutre dans un frigidaire, aussi énorme soit-il. Il cessa de se le demander pour regarder dans la direction que, du bout du doigt, le commis désignait. Parce qu'au bout de ce doigt-là, entre deux carcasses de viande, accroché de la même manière, se balançait un homme en costume gris.

— Qu'est-ce que c'est ?

— Un cadavre, on dirait bien.

— Je vois bien que c'est un cadavre, mais en quoi ça me regarde ?

— Le gros Léon dit que c'est le tien.

Twigs appuya sur l'interrupteur histoire d'y voir plus clair, scruta le visage du macchabée un long moment, visage dont la moitié inférieure était écrasée, et affirma :

— Jamais vu ce type-là de toute ma vie !

Et il sortit tandis que le commis lui emboîtait le pas et gueulait :

— Je lui dis quoi, au gros Léon ?

— Qu'il se démerde, je ne m'occupe pas des cadavres des autres. Je passe pas ma vie à enneiger les morts. Je suis mécano, moi, pas fossoyeur. *Mé-ca-no* !

Post-Épilogue

Elle ressemblait à son père, si ce n'est qu'elle était aussi rousse que sa mère.

Elle avait deux ans et se prénommait Rachel.

Lui tournait en rond comme un loup en cage et le froid lui manquait. « Pas le froid d'ici, Sarah, cet autre froid ! »

Elle se comportait mal en société, c'est-à-dire que, selon le directeur de la crèche, la petite n'était pas sociable. Par « pas sociable », qu'entendait-il exactement ?

Le directeur expliqua à Sarah, tandis que la petite Rachel se suspendait aux oreilles de son père, qui, sagement assis à ses côtés, fermait les poings, que les enfants ne devaient pas se comporter de la sorte. Ne devaient pas entraîner un petit groupe à rassembler les jouets, les mettre en tas et les défendre. Ils n'étaient pas censés faire ça avec le goûter non plus.

Il ajouta :

— Nous vivons en société, nous ne sommes pas des chiens !

Au mot « chien », Sarah prit la petite Rachel dans ses bras et sortit. Elle referma soigneusement la porte du bureau derrière elle, laissant à Nats le soin de désinscrire leur fille de l'établissement à sa manière.

Dans le couloir, elle expliqua à Rachel qu'il était temps de rentrer.

— Où ? demanda l'enfant.

— À la tête des nôtres, répondit Sarah.

REMERCIEMENTS

Merci à Kilis et à Antonio Del Casale pour leur indéfectible soutien,

à Claire pour avoir cru à ce texte arrivé par la poste et l'avoir porté,

à Alice pour avoir fait en sorte que ledit texte se transforme en livre,

et à tous ceux, en l'occurrence à toutes celles – femme et enfants – qui, au jour le jour, s'évertuent à imaginer que partager la vie d'un auteur est supportable.

Ce qui, bien sûr, n'est pas le cas.

Le Livre de Poche s'engage pour l'environnement en réduisant l'empreinte carbone de ses livres. Celle de cet exemplaire est de : **300 g éq. CO_2** Rendez-vous sur www.livredepoche-durable.fr

PAPIER À BASE DE FIBRES CERTIFIÉES

Composition réalisée par PCA

Achevé d'imprimer en janvier 2017, en France sur Presse Offset par
Maury Imprimeur – 45330 Malesherbes
N° d'imprimeur : 215390
Dépôt légal 1re publication : février 2017
LIBRAIRIE GÉNÉRALE FRANÇAISE – 21, rue du Montparnasse – 75298 Paris Cedex 06

INSTITUT
FRANÇAIS
ROYAUME-UNI
17 Queensberry Place
London SW7 2DT
Tel 020 7871 3515